U0142576

向大師學習寫作

圖解：我的第一本心智圖（MIND MAP）作文書

閱讀本書，將再次打破「不會寫作文，不懂如何閱讀」的困境。讓你一讀就立刻上手，輕鬆寫出好作文！

閱讀心智圖小撇步：

1. 仔細閱讀「**經典原文**」和「**解讀心智圖**」，對照「**心智圖**」裡的關鍵詞，就能掌握閱讀的重點。
2. 心智圖的每個「主幹」（1、2、3、4……），都是文章結構的分類。主幹分出來後，再加以細分出「支幹」、「小支幹」。
3. 最後，在「心智圖練習」上練習繪圖，就能掌握繪製心智圖的方法。

高詩佳 著

本書架構

閱讀小撇步：

1. 仔細閱讀「經典原文」和「解讀心智圖」，對照「心智圖」裡的關鍵詞，就能掌握閱讀的重點。
2. 心智圖的每個「主幹」（1234…），都是文章結構的分類，主幹分出來後，再加以細分出「支幹」、「小支幹」等。
3. 最後，在「心智圖練習」上練習繪圖，就能掌握繪製心智圖的方法了。

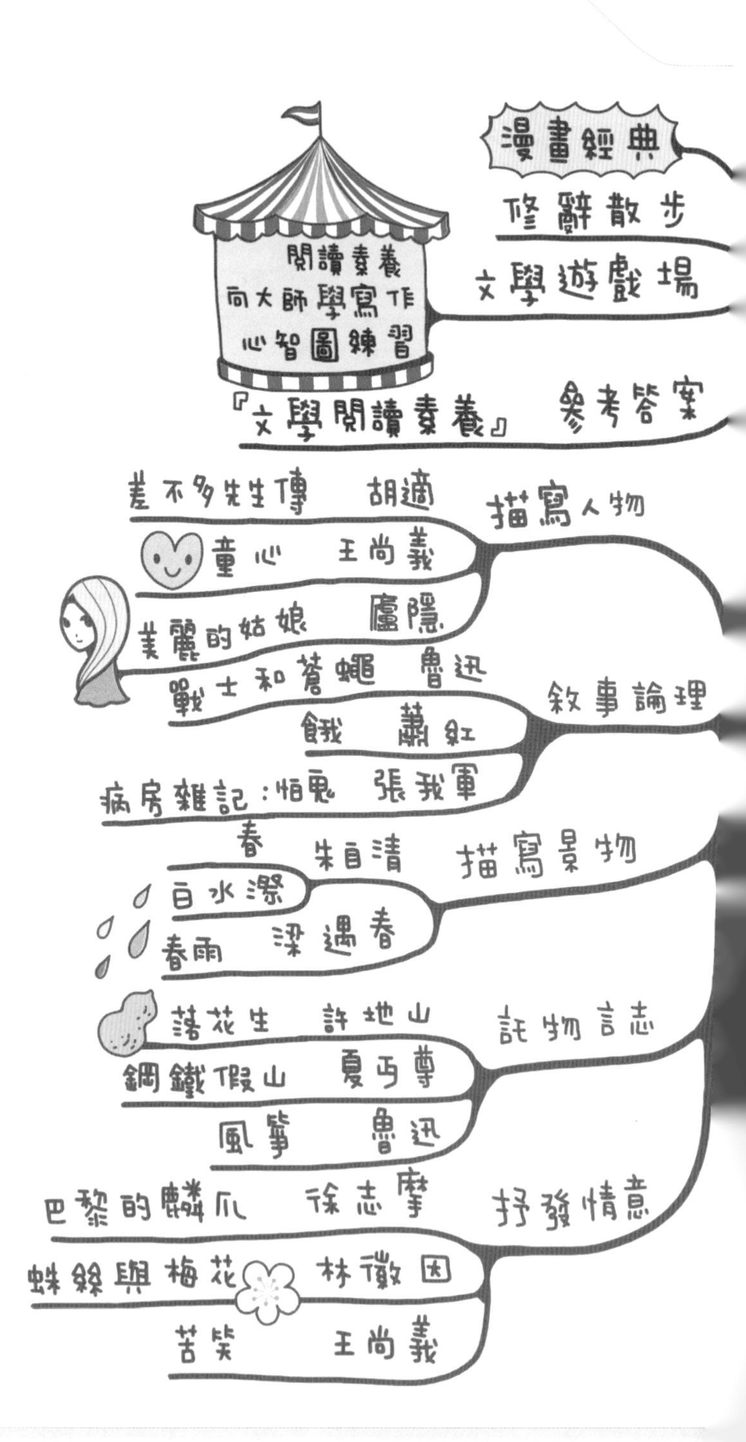

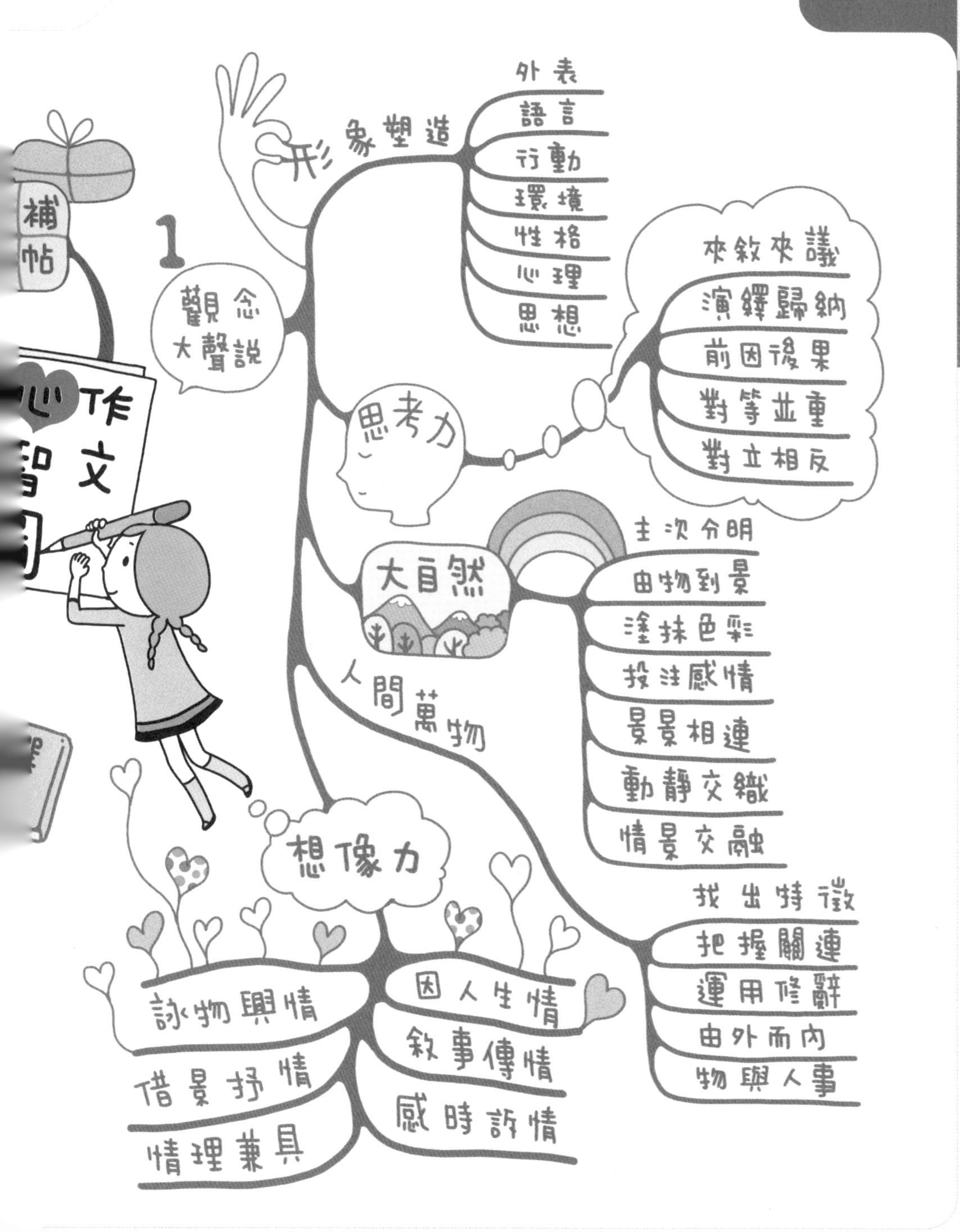
補帖
1
觀念大聲說
形象塑造
外表
語言
行動
環境
性格
心理
思想
思考力
夾敘夾議
演繹歸納
前因後果
對等並重
對立相反
大自然
主次分明
由物到景
塗抹色彩
投注感情
景景相連
動靜交織
情景交融
人間萬物
找出特徵
把握關連
運用修辭
由外而內
物與人事
想像力
詠物興情
因人生情
敘事傳情
借景抒情
感時訴情
情理兼具

作者序

漫步在經典文學的花園

記得小學四年級時，在一個無聊的午後，我爬上父親的書架，四處尋找可以打發時間的書。忽然，有個奇特的書名引起我的興趣：《駱駝祥子》。這作者的名字也很怪，叫做「老舍」。一看作者簡介說：「生於1899年2月3日，深受五四運動的影響……」啥？那麼老！更令人覺得好奇。於是我一頭埋進「祥子」的人生，閱讀小說中精采的文字，陪著他受苦，也陪著他歡樂。

從此以後，我深深地愛上「這個年代」的「老作家」，覺得「薑是老的辣」！有很長的時期都專找這些經典文學來讀，小小年紀，寫作能力竟也迅速提升了。我知道，每部經典都能餵養我們貧瘠的心，與老舍年代接近的徐志摩、朱自清、魯迅、夏丏尊、張我軍、王尚義……這些哲人雖已遠去，但他們留下的不朽作品，卻在我心裡發芽、生根，啓發我的思想、安頓我的心靈，引領我認識世界。我迫不及待要將這些經典文學介紹給學子們。

自2009年6月始，筆者開始進行「中文作文」的師資培訓與演講，之後一場接一場，足跡廣及全國各國小、國中、高中、大學乃至補習班，短短一年餘，累積了五十多場，之後更有上百場的演講、授課。當我有機會面對許多老師、家長與學生時，最常被問到的問題就是：「我們的學生該讀些什麼？」或是：「怎樣才能從閱讀中學習寫作？」

其實根據筆者十餘年的教學經驗，閱讀，並不只是把文章「看完」而已，閱讀時還必須同步進行「思考」和有效率地讀，才能夠讀出「效果」；閱讀的文章更需要經過謹慎挑選。所以我決定著手為學子選擇幾篇好文章，時常回顧這些優秀作品，我們必然能收穫滿滿。

繼系列作《圖解：我的第一本作文書》後，這本《圖解：我的第一本心智圖作文書》精選了更多篇散文大師的不朽作品，這些文章有的傳達對於美好世界的嚮往，有的表現對人生和自我的省思，也有抒發對生活的品味和體驗，筆端蘊含濃濃的情意，讓我們透過文字，彷彿見到魯迅雙目炯炯有神，以熱情的聲調鼓勵我們創新思想；見到徐志摩熱愛生命、嚮往大自然和對山林的沉醉；也見到王尚義對孩子的童心充滿憐愛與疼惜，以及張我軍對生死的領悟。

透過文字，我們將與大師們進行一場心靈之旅，隨著大師的腳步，漫步在經典文學的花園裡，在每一次的閱讀中，我們將會得到不同的成長與啓發。

本書以淺顯易懂的文字，精妙地解析散文作品，每篇文章都有心智圖（Mind Map）和解讀、賞析指引讀者，幫助你掌握重點，用「聯想」來記憶文章的內容、結構、思想、意義。並有「文學遊戲場」和「心智圖練習」的設計，以鍛鍊圖像思考力，強化整體構思文章的能力。文章搭配插畫家繪製的精美圖畫，讓經典文學添上彩翼，飛進我們的綺麗童年，也飛進學子的想像世界。閱讀這本書，我們將與大師一同在文學中體驗人生，向大師學習寫作。

作者序

詩佳老師於臺北市立圖書館對「林老師故事團」演講

目錄

PART 1

形象塑造好好玩

描寫人物

觀念大聲說

▶**什麼是描寫？**

描寫，是在寫作時把人物、事件、環境和特徵刻畫出來的一種方式，就像畫家畫素描一樣，描寫也很重視「描摹」的功夫，只不過在書寫時，是運用文字來反映事物的特徵，引人產生畫面、色彩和聲音的印象，才能帶起讀者的想像。

描寫和偵探辦案一樣，都很重視「眞實」，當我們學會了描寫的方法，就能讓筆下的人、事、物都有鮮明的形象，使它們在紙上也能夠如聞其聲、如見其人。比如在形容美女時說：「我每天只睡一個小時，皮膚依然如絲緞般光滑潤澤、比牛奶還白皙動人。」就概括地點出了特徵。當然，除了概括的白描方式，你還可以更細膩一些，以下是白描和細描的比較：

：光滑潤澤（
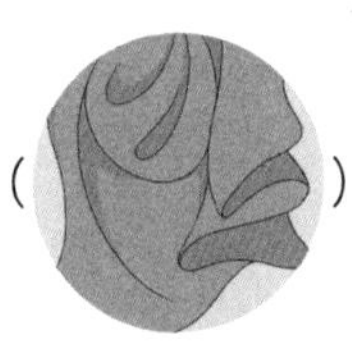
）＋白皙動人（

）

白描法

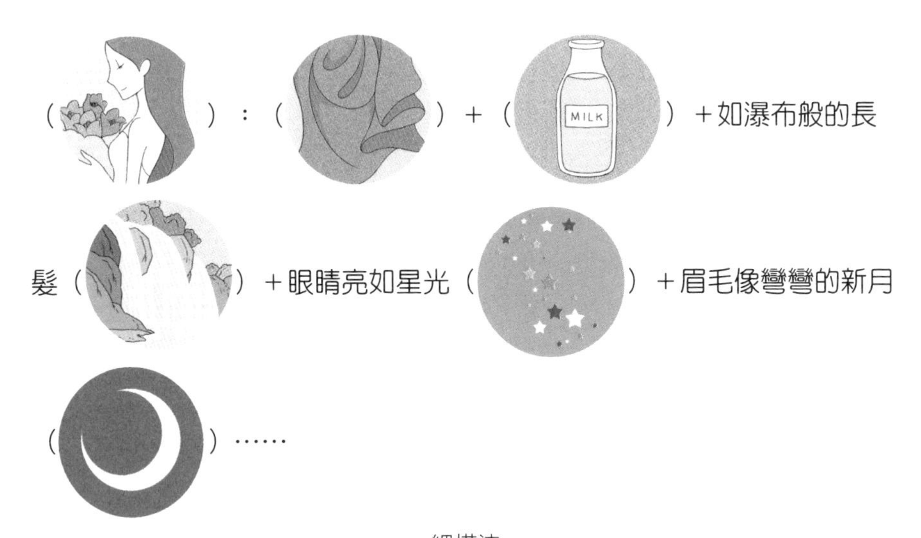

細描法

▶**怎樣描寫人物？**

我們應該挑選有特色的對象來描寫，文章才會有趣。描寫的對象，可以包括萬千世界中的各種物體（有生命、無生命）、人物、情狀、行動、事件的特徵和感官感受。

透過對人物的樣貌、身世、經歷或事蹟的描述，我們可以突出人物的形象。但是寫人不能只寫外貌而已，更要進一步從人物的行爲、環境、性格、心理和語言等各方面來描寫他，好比如果想要認識一個人，最好對他有各方面的瞭解。

描寫的方法可以分爲外在和內在。外在包括人物的外表、行爲、環境和語言，內在則包括性格與思想，一定要面面俱到，儘量做到內外兼顧。想一想，如果這裡有一隻白色的小熊，我該怎麼描寫牠？

1.外表印象

外表是我們給別人的第一印象，要把人物描寫好，就得先觀察人物的特徵，像是長相、身材、服裝、表情等等，都要具體刻劃，才能把人物描繪得栩栩如生。

小熊的穿著打扮

2.聆聽對話

「聽其言，觀其行」，想要讓讀者認識你筆下的人物，就要讓讀者有機會聽他「說話」。對話可以反映人物的內心，但是人物的「發言」必須符合他的年齡、職業、身份。讀者也能從對話中了解故事情節。

小熊與小貓對話

3.觀察行為

行爲是人物思想的具體表現，也就是「肢體語言」。我們描述出人物的種種行爲，比如握手、跌倒、翻白眼、手叉腰等等，讀者就會更容易了解人物，還能咀嚼出蘊藏在背後的意義。

小熊與小貓友善地互動

4.搭配環境

人物周圍的環境，有成長和居住的環境，或後天生活和工作的環境、去過的地方等等，這些對環境的描繪，能幫助我們判斷人物的個性，我們可以搭配人物的性格一起寫。

小熊的住家

5.反映性格

用形容詞寫出人物的個性特質或情緒狀況，人物的形象就會十分鮮明。直接的形容像是「豪放爽朗」、「溫文儒雅」，需要想像的就像「皮笑肉不笑」、「幽默風趣」等詞，都能讓人物形象在紙上活了起來。

小熊的性格與情緒

6.表達思想

思想指的是人物的想法和念頭。如果寫出人物對自己的生活、人生、事物的看法，就能表現他的心理和思想，這也是呈現人物內心世界的一種方式。

小熊在想什麼？

名篇選讀

1.差不多先生傳 / 胡適

▶經典原文

你知道中國最有名的人是誰？提起此人，人人皆曉，處處聞名，他姓差，名不多，是各省各縣各村人氏。你一定見過他，一定聽過別人談起他，差不多先生的名字，天天掛在大家的口頭[1]，因爲他是中國全國人的代表。

差不多先生的相貌，和你和我都差不多。他有一雙眼睛，但看得不很清楚；有兩隻耳朵，但聽得不很分明；有鼻子和嘴，但他對於氣味和口味都不很講究[2]；他的腦子也不小，但他的記性卻不很精明，他的思想也不很細密。

他常常說：「凡事只要差不多就好了。何必太精明呢？」

他小的時候，他媽叫他去買紅糖，他買了白糖回來。他媽罵他，他搖搖頭道：「紅糖白糖不是差不多嗎？」

---

1 口頭：言語，指經常被人們提及。

2 講究：追求事物的精美。

他在學堂[3]的時候，先生問他：「直隸省[4]的西邊是哪一省？」他說是陝西。先生說：「錯了。是山西，不是陝西。」他說：「陝西山西[5]不是差不多嗎？」

後來他在一個錢鋪[6]裡做夥計[7]。他也會寫，也會算，只是總不會精細；十字常常寫成千字，千字常常寫成十字。掌櫃[8]的生氣了，常常罵他。他只笑嘻嘻地賠小心[9]道：「千字比十字只多一小撇，不是差不多嗎？」

有一天，他爲了一件要緊的事，要搭火車到上海去。他從從容容[10]地走到火車站，遲了兩分鐘，火車已開走了。他白瞪著眼[11]，望著遠遠的火車上的煤煙，搖搖頭道：「只好明天再走了。今天走同[12]明天走，也還差不多，可是火車公司未免太認眞了，八點三十分開，同八點三十二分開，不是差不多嗎？」他一面說，一面慢慢地走回家，心裡總不很明白，爲什麼火車不肯等他

---

3 學堂：古代學生讀書就學的場所，指學校。

4 直隸省：中國早期的行政區劃，指直屬京師的地方，現已改名。

5 陝西、山西：陝西，省名，因在陝原（今河南陝縣一帶）之西而得名。陝，音ㄕㄢˇ。山西，省名，西鄰陝西，以黃河為界，南界河南，北界綏遠。「山、陝」常因為音近而被混淆。

6 錢鋪：兌換錢幣的商店。

7 夥計：店員，受雇用的人。

8 掌櫃：商店、客棧中總管事物的人，猶如今之店長。

9 陪小心：對人低聲下氣，態度恭敬謙虛，以博得好感或使人息怒。

10 從從容容：鎮定沉著，不慌不忙。從，音ㄘㄨㄥ。

11 白瞪著眼：張大眼睛直看，比喻沒辦法。

12 同：和、與、跟。

兩分鐘。

有一天，他忽然得一急病，趕快叫家人去請東街的汪先生。那家人急急忙忙地跑去，一時尋不著東街的汪大夫，卻把西街的牛醫[13]王大夫請來了。差不多先生病在床上，知道尋錯了人；但病急了，身上痛苦，心裡焦急，等不得了，心裡想道：「好在王大夫同汪大夫也差不多，讓他試試看罷。」於是這位牛醫王大夫走近床前，用醫牛的法子[14]給差不多先生治病。不上一點鐘[15]，差不多先生就一命嗚呼[16]了。

差不多先生差不多要死的時候，一口氣斷斷續續地說道：「活人同死人也差……差……差……不多，……凡事只要……差……差……不多……就……好了，……何……何……必……太……太認眞呢？」他說完了這句格言[17]，方才絕氣[18]了。

他死後，大家都很稱讚差不多先生樣樣事情看得破，想得通，大家都說他一生不肯認眞，不肯算帳[19]，不肯計較，眞是一位有德行的人，於是大家給他取個死

13 牛醫：醫治牛羊馬等牲畜的獸醫。

14 法子：方法。

15 不上一點鐘：不到一個小時。

16 一命嗚呼：指生命結束。嗚呼，悲哀的感嘆詞。

17 格言：可以為人法則、砥礪言行的簡短詞語。本文為反諷。

18 絕氣：氣息斷絕，指過世。

19 算帳：與人爭執較量，以解決糾紛，含有報復之意。

後的法號[20]，叫他做圓通大師。

他的名譽越傳越遠，越久越大。無數無數的人，都學他的榜樣。於是人人都成了一個差不多先生。——然而中國從此就成了一個懶人國了。

▶認識名家

胡適（1891～1962年），原名嗣穈（ㄇㄣˊ），行名洪騂（ㄒㄧㄥ），字希疆，後改名適，字適之，安徽績溪上庄村人。現代著名學者，更是歷史家、文學家與哲學家。曾任北京大學校長，在1957年出任臺灣中央研究院院長。1962年逝世，享年72歲。

胡適年輕時就接觸西方的思想文化，後來加入《新青年》雜誌，撰寫提倡自由、民主和科學的文章，主張文學改良和白話文學，成爲「新文化運動」[21]的重要人物，又發表了〈文學改良芻議〉[22]，主張以白話文代替文言文，寫文章「不作無病之呻吟」、「須言之有物」等看法，爲文學注入了新的思想，始終堅持獨立的批判精神。作品範圍廣，主要有《胡適文存》、《中國哲學史大綱》、《白話文學史》、《胡適文選》、《四十自述》、《胡適日記》等。

---

20 法號：佛教、道教的信徒受戒時，由其師父所取的名號。

21 新文化運動：是學術界的革新運動。西元1919年5月4日前夕，陳獨秀在《新青年》雜誌刊登文章，提倡民主與科學，批判中國文化，甚至傳播馬克思主義思想；而以胡適為代表的溫和派，則反對馬克思主義，支持白話文運動，主張以實用主義代替儒家學說，隱然成為「新文化運動」，在「五四」運動以後更為蓬勃。

22 文學改良芻議：西元1917年，由胡適所發表，提倡用白話文寫作。

▶題解

本文出自《胡適選集》，是一篇虛構的傳記式寓言。文章從主角「差不多先生」一生中的幾件事情，來勾勒他的個性和思想。作者藉著虛構人物，諷刺社會上某些處事敷衍苟且的人，並且勸勉大眾應該改變這個習性，國家才有希望。胡適受西方科學的浸潤頗深，從文章可得見他具有實事求是的精神。

▶解讀心智圖：差不多先生

〈差不多先生傳〉是一篇虛擬的人物傳記，故事按照時間順序，將差不多先生一生的遭遇敘述出來。一開始，先介紹差不多先生的外貌及處世態度，然後從他的兒時、學生時期、出社會工作、生病、死亡等，描述有代表性的幾件事蹟，構成了一篇趣味盎然、寓義深遠的故事。

第一段開頭，就用「自問自答」的設問法，提出：「你知道中國最有名的人是誰？」引起讀者的好奇，然後說：「提起此人，人人皆曉，處處聞名。」隨後正式介紹「差不多先生」的名字，這樣的寫法，加強了主角的神祕感。這個名字十分與眾不同，而且是全文的核心，所以作者先大略解釋一下名字的由來，說差不多先生是「各省各縣各村人氏」，爲後文「他是中國全國人的代表」設下伏筆。

第二、三段，作者舉出了一件又一件的例子，提供更多的證據，告訴我們差不多先生是個怎樣的人。以「由外而內」的寫法，從差不多先生的相貌開始講，這整段爲他塑造了模糊的形象，使他的相貌像他的爲人，模稜兩可、沒有原則。第三段，逐步說到差不多先生的內在思想，透過他的口頭禪：「凡事只要差不多就好了。何必太精明呢？」引起下文的事例，具有承上啓下的作用，而「差不多」的人

▶心智圖

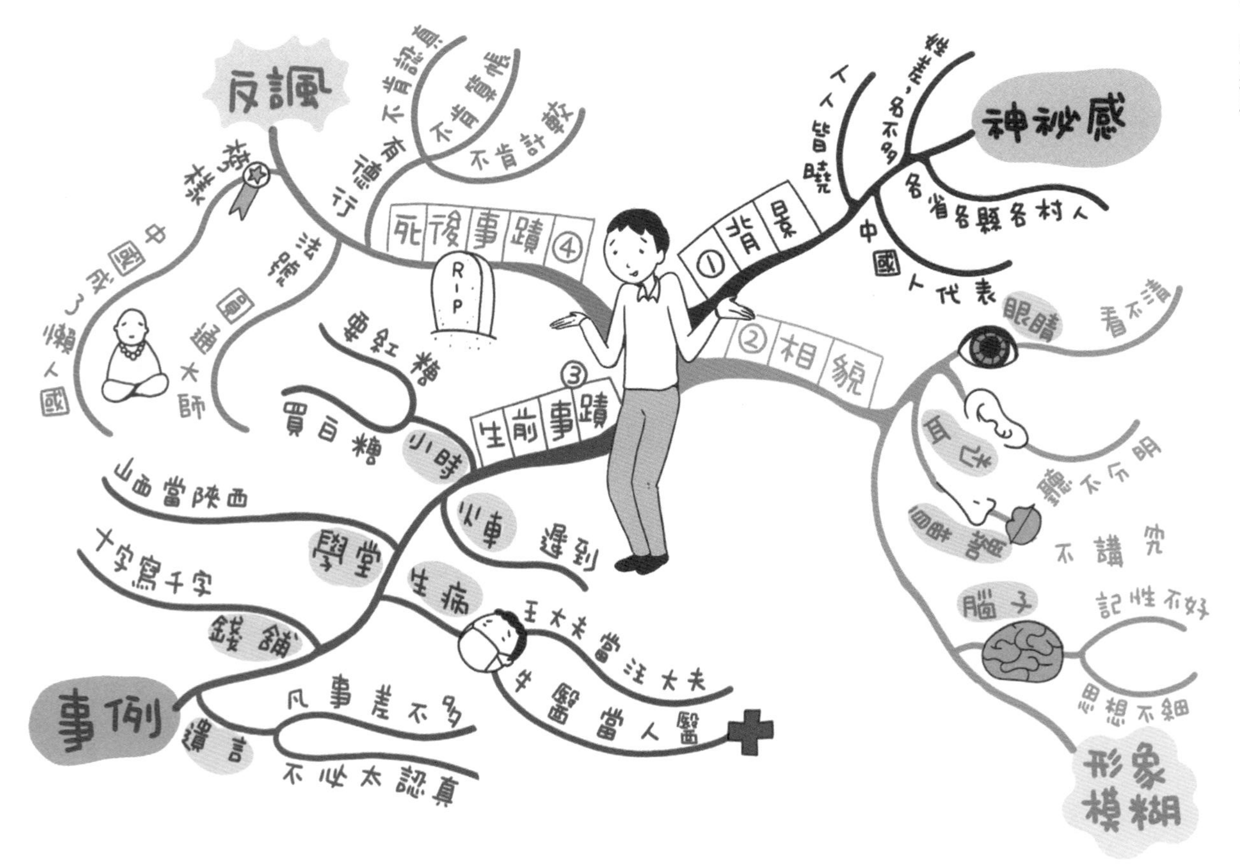
神祕感
①背景
人人皆曉
姓差，名不多
各省各縣各村人
中國人代表
②相貌
眼睛
看不清
耳朵
聽不分明
不講究
腦子
記性不好
思想不細
形象模糊
③生前事蹟
小時
買白糖
要紅糖
學堂
山西當陝西
十字寫千字
錢鋪
火車
遲到
生病
王大夫當汪大夫
牛醫當人醫
事例
遺言
凡事差不多
不必太認真
④死後事蹟
德行
不肯認真
不肯算帳
不肯計較
法號
圓通大師
榜樣
中國成了懶人國
反諷

格特質，也跟著由淺入深地揭露出來了。

第四段到第九段的焦點，放在描寫差不多先生從小到大，直到死亡的幾則事例。因爲他抱持「差不多」的處世態度，所以成年後發生的事便嚴重起來，後果與影響的程度也逐步加重。作者先從差不多先生的生前事蹟舉例：小時候，他買錯了糖，覺得「紅糖和白糖差不多」，不需要反省；讀書時，將「山西讀成陝西」，讀錯了也沒關係，能蒙混過關就好；進入社會工作後，仍然不改「差不多」的態度，記帳時「把千字寫成十字」，造成錢鋪的損失，還是不改正，反正「千與十只差一小撇」。

這些瑣碎的小事，後來演變成更嚴重的事情，使主角甚至因此喪命。在第八段，差不多先生得了重病，但是家人「一時尋不著東街的汪大夫，卻把西街的牛醫王大夫請來了」，讓獸醫爲人治病，這段情節使讀者感到驚嘆，原來差不多先生全家人都是類似的個性，正呼應首段點出的「差不多先生是中國全國人的代表」，前後呼應法的運用，使文章主題能夠緊緊地扣在一起，也爲差不多先生的死，埋下了伏筆。

第九到十一段，作者集中地運用反諷法，敘述差不多先生的死亡與死後事蹟。俗話說：「人之將死，其言也善。」遺言通常可以流露一個人的眞情，但差不多先生的遺言竟是：「凡事只要差不多就好，何必太認眞呢？」對自己被誤診，也是「差不多」、「無所謂」的態度，可見「差不多」的思想已經根深柢固、無可救藥了。於是在文章最後，作者諷刺差不多先生「有德行」，是「全中國人的代表」，但是直言：「然而中國從此就成了一個懶人國了。」文章以小觀大，以諷喻作結，首尾呼應，在結尾將主旨完全揭示出來。

本文是胡適針對中國人的處世態度，所做的最深刻的諷刺，傳達他憂國憂民的思想。寫作技巧高妙，作者不做評論，而是藉著幾個事件讓故事自己說話，給讀者自主思考和省思的機會。在結構上分爲四個層次：介紹背景、描繪形象、敘述生前與死後事蹟，由淺入深、層層深入，正如文學家老舍所說的：「不用任何形容，只是清清楚楚寫下來的文章，而且寫得好，就是最大的本事，眞正的功夫。」

▶修辭散步

1. 設問：為了引起讀者的注意，作者自問自答。如：「你知道中國最有名的人是誰？」（提問）
2. 對偶：將字數相等、詞性相同、句法相同的句子，對稱地排列在一起。如：「人人皆曉，處處聞名。」
3. 排比：排列兩組或以上相近的句型，以表達同範圍、同性質的情思或意念。如：「他有一雙眼睛，但看得不很清楚；有兩隻耳朵，但聽得不很分明；有鼻子和嘴，但他對於氣味和口味都不很講究；他的腦子也不小，但他的記性卻不很精明，他的思想也不很細密」等。
4. 類疊：將同一個字詞重疊使用。如：「從從容容」、「急急忙忙」、「斷斷續續」（疊字）等。
5. 倒反：就是說反話、反諷，表面上讚美，卻含有嘲弄諷刺的意味。如：「大家都很稱讚差不多先生樣樣事情看得破，想得通」、「眞是一位有德行的人」、「叫他做圓通大師」、「無數無數的人，都學他的榜樣」等。

▶漫畫經典

你怎麼買了白糖回來？
紅糖
紅糖、白糖不是差不多嗎？
白糖
他小的時候，媽媽叫他去買紅糖，但他買了白糖回來。
$錢 鋪$
你怎麼又寫錯了！
千字跟十字只差一撇，不是差不多嗎？
他也會寫，也會算，只是總不仔細。
8:30開，同8:32開，不是差不多？
他不明白為什麼火車不肯多等他兩分鐘。
活人……同死人也差不多，何必太……認真？
牛醫王大夫用醫牛的法子，醫死了差不多先生。

▶文學遊戲場

一、閱讀素養

（　　）1.〈差不多先生〉一文的寫作脈絡是什麼？

(A) 人物背景—塑造形象—敘述事蹟—死後影響
(B) 塑造形象—人物背景—敘述事蹟—死後影響
(C) 敘述事蹟—塑造形象—人物背景—死後影響
(D) 死後影響—人物背景—塑造形象—敘述事蹟

（　　）2. 差不多先生最主要的死因是什麼？

(A) 找到沒有執照的庸醫爲他治療。
(B) 他固執不肯就醫。
(C) 他病入膏肓，無藥可救。
(D) 他找錯醫生，還不以爲意。

二、向大師學寫作

作文題目：

從胡適撰寫的〈差不多先生傳〉中，我們了解爲人處世倘若態度馬虎，可能造成不好的後果。想一想，如果所有人都抱著差不多和馬虎的生活態度，這世界會變成什麼樣子？假設「差不多先生」遇到了一個「馬虎小姐」，他們之間會有怎樣的互動？會造成怎樣的結果？請發揮想像力，以「當差不多先生遇上馬虎小姐」爲題，寫一篇有事例、有諷刺意義的文章。

作文提示：

審題：作文要圍繞著「差不多」和「馬虎」的生活態度來發揮，並且假設抱持這樣的態度，會在待人處世上遇到什麼問題。開頭：使用寫人法，從「馬虎小姐」的名字、相貌、穿著打扮開始寫起，每個細節都要緊扣住「馬虎」的主題，為馬虎小姐塑造出「人如其名」的形象。經過：用列舉法來敘述差不多先生遇到馬虎小姐以後，所發生的幾件事情，每一件事例都要與無所謂、沒有原則的生活態度有關。要思考的是這兩個生活態度相像的人在一起時，會帶給對方哪些更糟糕的影響。結尾：運用反諷法，表面上讚美馬虎小姐隨和、聽話，實際上是諷刺她的生活態度，而馬虎小姐與差不多先生在一起發生的事情，也讓讀者領悟到物以類聚、近朱者赤可能造成的負面影響。

三、心智圖練習

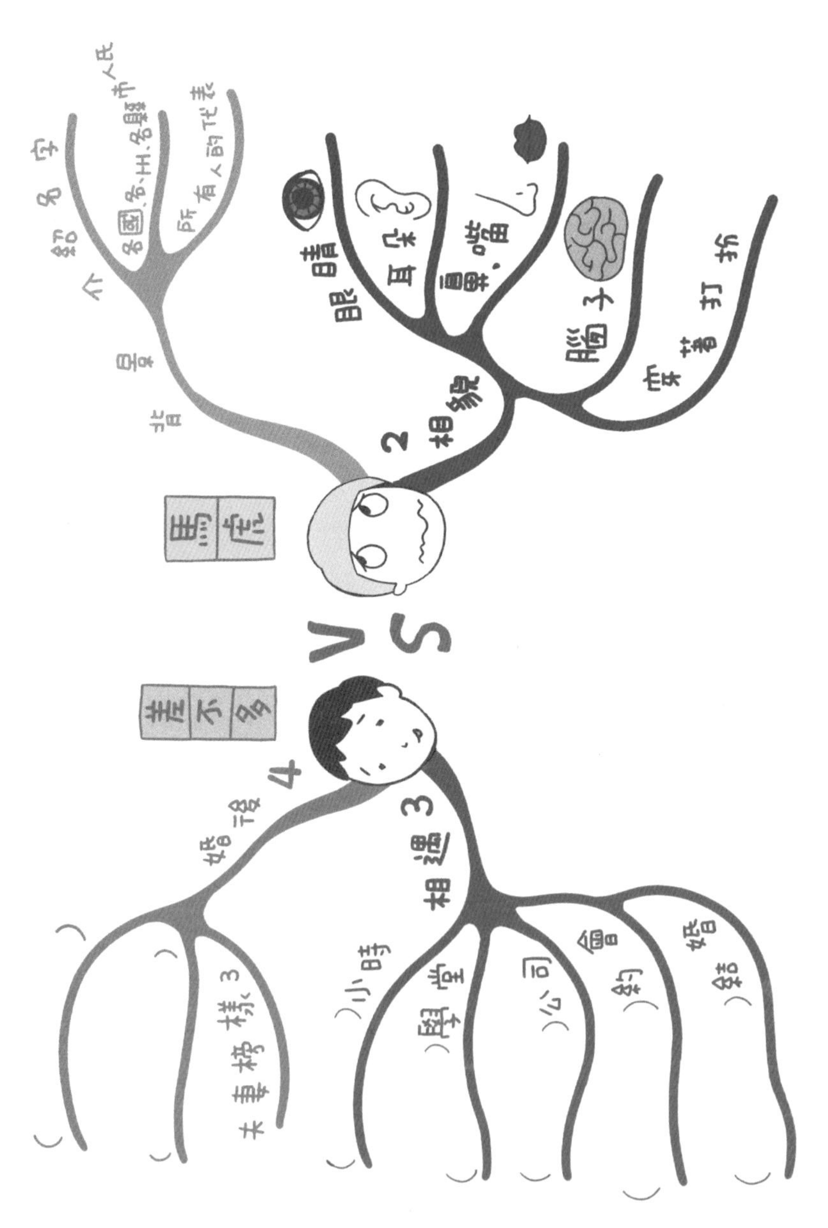

提示：主幹按照時序來分類，能不能再細分一層支幹？

名篇選讀

2.童心／王尚義

▶經典原文

不知從什麼時候起，弟弟的脾氣開始變得暴躁、易怒，常常有反抗的情緒，稍微說他一句，他便會嘔半天的氣[1]，尤其是吃飯的時候，一個人鼓著嘴[2]，坐在藤椅上，眼眶裡滾滾地含著淚水。

媽憂慮地說：「這孩子，這麼小就會生氣，不好。」

爸接著寬解說：「照兒童心理學上講，五六歲正是反抗的年紀。」

妹妹從來不饒[3]弟弟的，她指著弟弟說：「最壞了，以後誰也不跟你玩。」

我呢，我從來沒注意過弟弟。

可是弟弟的脾氣突然變得溫和的時候，我倒有些注意了。我們家那隻混血的母狗——來茜[4]，生了四隻小狗娃，弟弟前前後後地跑著叫著，向每個人報告喜訊，

1 嘔氣：賭氣，鬧彆扭。嘔，音ㄡˋ。
2 鼓著嘴：使性子時，將嘴向前噘起。
3 不饒：指嚴格，不寬恕。
4 茜：音ㄑㄧㄢˋ。

他的圓臉蛋上掛滿了稚藹[5]的笑容。

「這孩子簡直著了迷，」媽吃飯時說，「白天不肯離開狗窩一步，看得還不夠，晚上偷偷爬起來說上廁所（弟弟本來是很膽小的），凍得冰冷回來了，我一聞到他身上的腥氣，就知道他又去和小狗玩了。」

小狗漸漸長大，弟弟的精神也愈來愈活潑，他餵牠們吃稀飯，給牠們講故事，抱著牠們到處玩。

但我們卻開始討厭小狗了。媽的新被單被小狗印了一條泥印，妹妹的玻璃絲襪被咬了一個洞，爸的一隻皮鞋被拖在臭水溝裡，而我新洗的西褲有一次被小狗弄髒的時候，我恨不得將牠們一個個都踢死。

「家裡要這麼多狗做什麼？趕快送出去。」妹妹最先提議，我附議。媽接著贊成說：「一隻大的已經夠餵的了。」

弟弟聽說我們要把小狗全部送給別人，他哭得不肯吃飯。

全家都來勸他了。

「小狗在我們家會餓死的，沒有人餵牠們。」媽溫和地對弟弟說。

「我餵，我會餵！」弟弟哭著說。

[5] 稚藹：稚氣，和藹。藹，音ㄞˇ。

「小狗到處跑，髒死了，弄髒了衣服誰去洗？」妹妹說。

「我們家有一隻大狗就夠了，要那麼多幹什麼？」爸笑著說。

「而且，來茜還會生的呀，再過三個月又生小狗了。」媽又補充說。

「那都沒有人和我玩！」弟弟抱屈[6]說。

「你已經五歲多，再過幾天就要上小學了，哪能一天到晚玩？」

「我可以帶著小狗上學。」

「帶小狗，老師會罵的。」

「你不是很早就要一支電槍[7]嗎？買一支電槍給你好不好？」爸聰明地說。

弟弟沒話說了，他沉默地坐在藤椅上，眼眶裡滾滾地含著淚水。

電槍沒有給弟弟帶來快樂。自從小狗送走以後，弟弟像害了相思病[8]，無時不想念他的小狗，他常常獨自在狗窩邊徘徊[9]，晚上作夢醒來，叫著要他的小狗。

6 抱屈：受委屈而感到不平。

7 電槍：一種玩具槍。

8 相思病：因思念過度，導致情緒不穩而生病憔悴的情狀。

9 徘徊：音ㄆㄞˊ ㄏㄨㄞˊ，來回走動、流連的樣子。

有一天，媽坐在縫紉機[10]邊織毛衣，我躺在藤椅上看報，媽偶爾和我談起在大陸上的哥哥，她的神情有些難過。弟弟在地板上滾來滾去地和來茜逗著玩，累了，仰臥在地板上，來茜伏在他的胸前。

「媽，你上次說來茜要再生小狗，是什麼時候？」這句話，他不知問過多少次了。

「再過三個月。」

「三個月是多少天？」

「一百天。」

「現在過了幾天了？」

「你自己算吧！」弟弟點著小手算了半天，然後撫摸著來茜的耳朵說：「每天餵你好東西吃，你要快生呀！」來茜好像懂得他的話似的，不住地用舌頭舐[11]著弟弟的鼻尖。

「可憐的來茜，你的孩子在哪裡？你想牠們嗎？」來茜的頭垂得更低了，眼睛憂怨地望著弟弟。

「媽，來茜在想牠的孩子，你看牠在流眼淚。」弟弟把來茜拖到媽身邊，扯著媽的手要她看。

媽輕輕放下了毛線，看著弟弟好一會，把他抱在懷裡，她想要說什麼，可是她的眼圈紅了，悄悄把頭轉了

10 縫紉機：用以剪裁、縫合、補綴衣服的機器。紉，音ㄖㄣˋ。

11 舐：音ㄕˋ，用舌頭舔東西。

過去……

▶認識名家

王尙義（1936～1963年），河南汜（ㄙˋ）水人。畢業於臺灣大學醫學系，畢業不久，就因爲肝癌而進入臺大醫院，英年早逝。雖然生命如此短暫，但是他的赤子情懷與才氣，卻透過創作的小說、散文、論述、新詩等作品，保留了生命的光與熱。

在時代巨大的變動中，少年的王尙義期待改變世界。妹妹王尙勤描述他：「尙義顯然不只屬於臺灣的，他的眼睛是往中國、往第三世界、往整個人類看的。」道出王尙義具有深邃的思想與學養，是格局寬闊的青年人。他的文字乍看之下覺得輕描淡寫，情感卻極爲深刻。逝世後，留下近數十萬字的作品，親友透過「水牛出版社」爲他出版作品集，有《狂流》、《深谷足音》、《落霞與孤鶩》、《荒野流泉》、《從異鄉人到失落的一代》、《野鴿子的黃昏》、《野百合花》等。

▶題解

本文出自《深谷足音》。敘述作者家中的母狗生了小狗，叛逆的弟弟因此變得溫和、有愛心，但小狗大了以後，家人卻嫌棄小狗，將牠們送養，弟弟從此日夜盼望母狗再生小狗。在弟弟的想像中，母狗因爲失去孩子而傷心，卻無意間對應到母親的心情，母親也想起了留在大陸的兒子。文章的情感層層深入，餘韻細膩動人。

▶心智圖

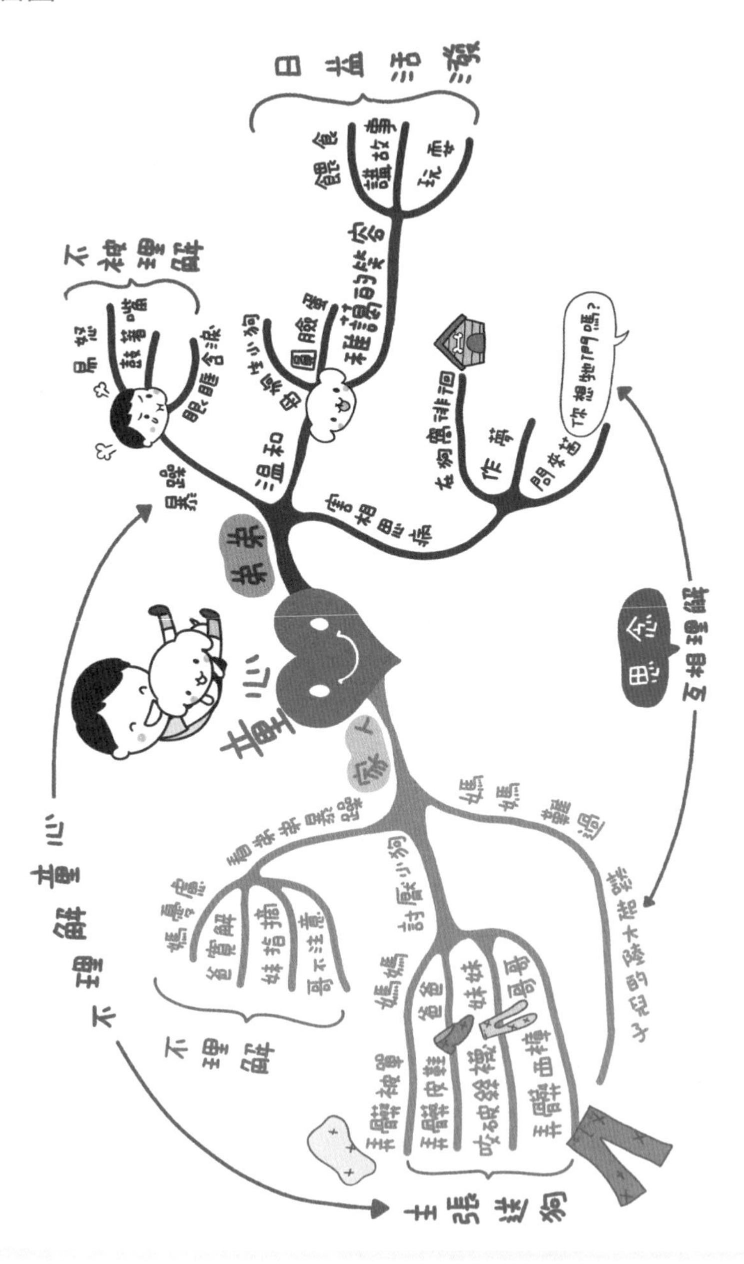
童心
弟弟
暴躁
易怒
鼓著嘴
眼睛含淚
不被理解
溫和
母狗生小狗
圓臉蛋
餵食
講故事
玩耍
日益活潑
害相思病
在狗窩徘徊
作夢
你想牠們嗎?
思念
互相理解
不理解童心
家人
看弟弟暴躁
媽憂慮
爸寬解
妹指摘
哥不注意
不理解
討厭小狗
媽媽
爸爸
妹妹
哥哥
弄髒被單
弄髒皮鞋
咬破絲襪
弄髒西褲
主張送狗
媽媽
難過

▶解讀心智圖：童心

童年的時光多麼天眞，總是讓我們很容易就敏感起來，有時候會因爲家人的一句安慰而開心，或因爲無心的一句話而沮喪。童年時的脆弱，也使孩子容易受到外來的打擊，心靈蒙上了陰影。本文透過作者的弟弟失去小狗的經過，反映出孤獨、反叛、脆弱、依戀與眞誠的童心。

光看故事的前四分之三，我們會以爲這是一篇專談弟弟的文章，但更高明的是，看似表面寫弟弟失去小狗的失落心情，直到後文才揭示出作者想要表達的，是母親失去兒子的悲傷之情。故事一開始，弟弟的脾氣暴躁、易怒，然而家人始終無法理解他，不能溫柔理性地安慰弟弟，與他溝通，反而用指摘和排斥的態度對待他，作者更說自己「從來沒注意過弟弟」，可見弟弟在家中受到一定程度的忽略。家人不理解弟弟，他過得很孤單，但這種情況直到家中的母狗來茜生了四隻小狗後，終於有了改變。

文章的發展，有兩個重要的轉折：一是來茜生了四隻小狗後，二是小狗被家人送走了之後。弟弟本來是脾氣暴躁、易怒的孩子，但是來茜生了幾隻小狗後，他的情緒突然有了很大的轉變，變得溫和而且充滿笑容。很顯然地，新生命的喜悅讓弟弟感受到不一樣的溫暖，他把所有關注的目光通通放在小狗身上。於是，不管是白天，或者是冰冷的晚上，他總是想盡辦法陪伴在小狗身邊，給牠們溫暖，同時也從牠們身上獲得溫暖。全家人都觀察到弟弟的變化，卻沒有心去理解原因，他們不知道這都來自於弟弟與小狗間情感的交流。

孤單的弟弟，有一顆不被理解的心，這顆心在與小狗的互動中得到療癒。故事發展到中段後，有了另一個轉折：小狗們一天天長大，開始調皮搗蛋了，牠們弄髒被單、皮鞋、西褲，還把妹妹的絲襪咬破了，所有人都覺得自己的利益受損，於是紛紛主張把小狗送走。弟弟雖然有千百個不願意，最後仍不敵眾意，只好讓小狗被送走。從此以後，好不容易得到溫暖的童心，再度失落了，弟弟不僅時常在狗窩附近徘徊，還期盼母狗能再生下新的小狗，好和他做新朋友。作者將弟弟的癡心與孤寂、痛苦，描摹得入木三分，令人動容。

有一天，媽媽無意間和作者談起滯留在大陸的兒子，媽媽的「神情有些難過」。母親遺失了心愛的兒子，應該是內心永遠的痛吧！這時，文章插入了一段弟弟的童言童語。弟弟對來茜說：「你孩子在哪裡？你想牠們嗎？」又對母親說：「媽，來茜在想牠的孩子，你看牠在流眼淚。」孩子無心的言語，卻是再眞實也不過的情感流露，於是媽媽將他抱在懷裡，眼眶紅了，因爲媽媽也念著大陸的兒子，不知有沒有回家的一天。

原本家人與弟弟之間互不理解，到了結尾，忽然藉著「思念」，有了情感的共鳴。弟弟對小狗的思念和母親對兒子的思念，連結了彼此的心，童心的眞誠，也感動了每一位讀者。這樣一篇精巧的文章，透過孩子的童言童語，表面上寫人、狗之間的情懷，實際上要表露的，卻是母親失去兒子的悲傷。狗與人同爲大自然的一份子，狗的生命遭遇似乎也影射著主人的生命遭遇。王尙義運用高妙的婉曲寫法，爲我們呈現的是最珍貴的「童心」。

▶修辭散步

1. 誇飾：用誇張的筆法將事物的特點描寫出來。如：「眼眶裡滾滾地含著淚水」。
2. 排比：如：「他餵牠們吃稀飯，給牠們講故事，抱著牠們到處玩」、

「媽的新被單被小狗印了一條泥印，妹妹的玻璃絲襪被咬了一個洞，爸的一隻皮鞋被拖在臭水溝裡，而我新洗的西褲有一次被小狗弄髒」（排比＋對比）。

3. 譬喻：用具體的事物來形容另一抽象的事物，喻詞有「像」、「好像」、「似」等。如：「弟弟像害了相思病，無時不想念他的小狗」、「來茜好像懂得他的話似的，不住地用舌頭舐著弟弟的鼻尖」等。

4. 擬人：用人的特性形容「不是人」的物，比如日、月、山、水、動植物等，使物具有人的個性。如：「來茜的頭垂得更低了，眼睛憂怨地望著弟弟」、「來茜在想牠的孩子，你看牠在流眼淚」等。

不知從什麼時候起，弟弟的脾氣開始變得暴躁、易怒。

後來家中的母狗生了四隻小狗娃，使弟弟變得溫和而活潑。

但是小狗們會破壞東西，全家人決定將牠們送走。

弟弟無時不想念他的小狗，媽媽也想起了在大陸的哥哥。

▶文學遊戲場

一、閱讀素養

（　　）1. 作者的家人想將小狗送人，是出於怎樣的想法？

(A) 弟弟因爲叛逆、難教養，家人送養小狗作爲懲罰。

(B) 家人不了解小狗對弟弟的重要性，輕率地送養。

(C) 小狗破壞家中物品，造成髒亂，成爲家人的負擔。

(D) 家中太擁擠，只好將小狗們送人。

（　　）2. 文末最後，母親抱著弟弟，「眼圈紅了，悄悄把頭轉了過去」，意思爲何？

(A) 母親心疼母狗失去小狗，感到難過。

(B) 弟弟失去小狗後，很不快樂，使母親非常擔心。

(C) 弟弟想像母狗會思念小狗，使母親觸景傷情，思念大陸的兒子。

(D) 母親見弟弟太思念小狗，因而不忍。

二、向大師學寫作

作文題目：

在生命中，總會遇到某些帶給我們感動的人，他們有的對我們付出關懷，有的給予我們照顧，有的則帶來啓示，幫助我們成長。然而因爲一些「原因」，他離開了我們，成爲令人深深思念的人。想一想，你最思念的人是誰？你們爲什麼分離？過去有什麼事發生，使你對他念念不忘？請以「我最思念的人」爲題，寫一篇記敘、抒情兼具的文章。

作文提示：

審題：作文要緊扣「思念」的主題來發揮，寫作的對象不限於和你親近的同學、師長、親友，即使是不熟的人，只要他的一言一行曾與你的生命交集，對你產生了影響，就可以當作主角。開頭：用回憶法，追述過去的事情或觸發情感，帶讀者走入時光隧道，重現當時的情境。經過：運用寫人法，透過他的言行塑造形象，敘述他對你產生的影響，並交代為什麼分離，記得描述你遇到的困境和阻力。結尾：以餘韻法，道出你對他的思念，也感謝他帶來了美好的事物，留下耐人尋味的餘韻。

三、心智圖練習

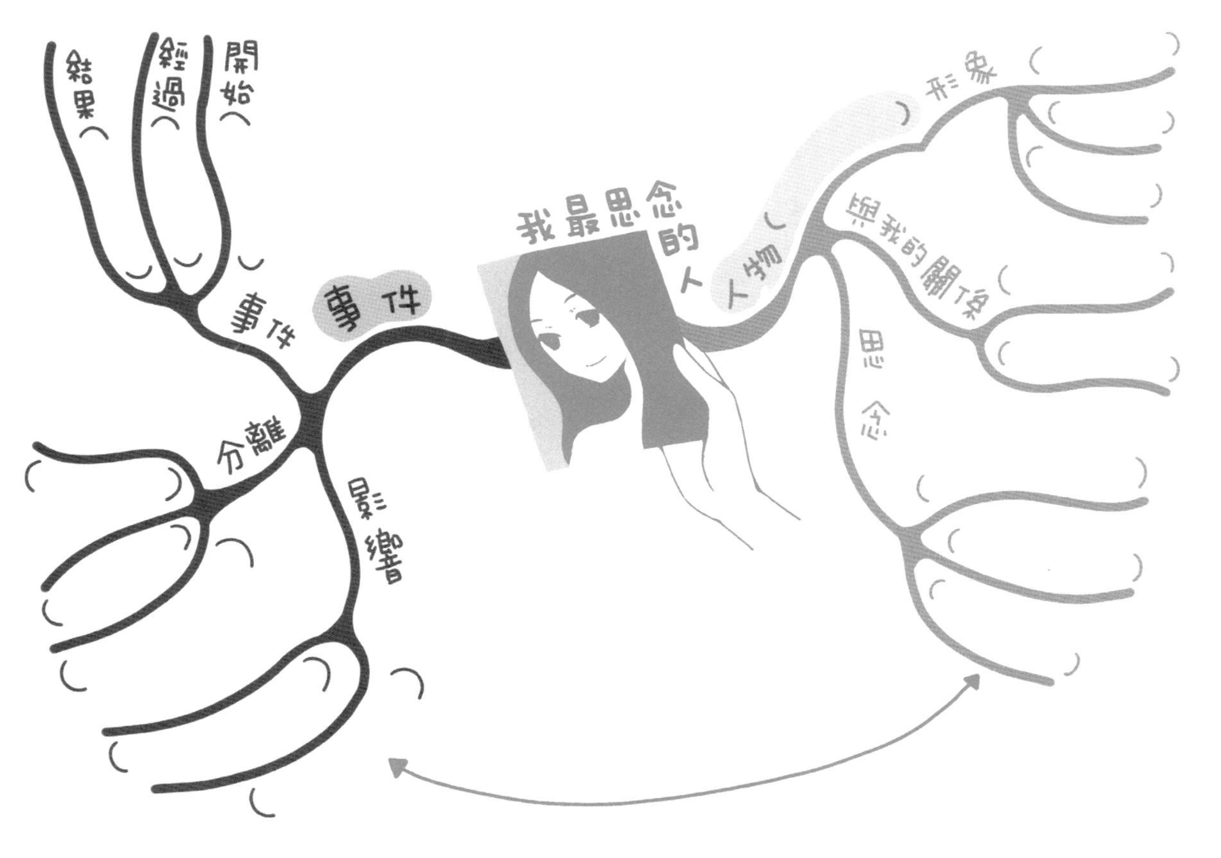

提示：根據寫作焦點來大分類，能不能再往下細分？

名篇選讀

3.美麗的姑娘／盧隱

▶經典原文

他捧著女王的花冠，向人間尋覓[1]你——美麗的姑娘！

他如深夜被約的情郎，悄悄躲在雲幔[2]之後，覷[3]視著堂前[4]的華燭高燒、歡宴將散。紅莓似的醉顏，朗星般的雙眸[5]，左右流盼[6]。但是，那些都是傷害青春的女魔，不是他所要尋覓的你——美麗的姑娘！

他如一個流浪的歌者，手拿銅鈸鐵板[7]，來到三街六巷，慢慢地唱著醉人心魄的曲調，那正是他的詭計，他想利用這迷醉的歌聲尋覓你。他從早唱到夜，驚動了多少嬌媚的女郎。她們如中了邪魔般，將他圍困在街心，但是那些都是粉飾[8]青春的野薔薇[9]，不是他所尋覓

---

1 尋覓：尋找、探求。覓，音ㄇㄧˋ。
2 幔：音ㄇㄢˋ，布幕、帳幕。
3 覷：音ㄑㄩˋ，窺伺、偷看。
4 堂前：正房前面。
5 朗星般的雙眸：目若朗星，眼睛如星星一樣地明亮，形容人的眼睛有神。
6 流盼：眼睛轉動的樣子。
7 銅鈸鐵板：應為「銅琶鐵板」。銅琶（音ㄆㄚˊ）、鐵板為伴奏激昂歌曲的樂器。
8 粉飾：只是裝飾用，不切實際。
9 野薔薇：植物名，又稱「野客」。在這裡是「過客」的意思。

的你——美麗的姑娘！

他如一個隱姓埋名的俠客，他披著白羽織成的英雄氅[10]，腰間掛著莫邪寶劍[11]；他騎著嘶風嚙[12]雪的神駒[13]，在一天的黃昏裡，來到古道荒林。四壁的山色青青，曲折的流泉衝擊著沙石，發出悲壯的音韻，茅屋上縈繞[14]著淡淡的炊煙和行雲[15]。他立馬於萬山巔。突然看見你獨立於群山前——披著紅色的青衫，散著滿頭發光的絲髮，注視著遙遠的青天。噢！你象徵了神祕的宇宙，你美化了人間——美麗的姑娘！

他將女王的花冠扯碎了，他將腰間的寶劍，劃開胸膛，他掏出赤血淋漓[16]的心，拜獻於你的足前。只有這寶貴的禮物，可以獻納。支配宇宙的女神，我所要尋覓的你——美麗的姑娘！

那女王的花冠，它永遠被丟棄於人間！

▶認識名家

廬隱（1898～1934年），原名黃淑儀，又名黃英，福建閩侯

10 氅：音ㄔㄤˇ，用鳥毛編織成的大衣、外衣。

11 莫邪寶劍：莫邪，人名，干將的妻子。根據神話傳說，她為了幫助丈夫鑄劍而犧牲性命。莫邪寶劍，相傳吳王闔廬命令干將鑄劍，雌劍命名為莫邪，雄劍為干將。

12 嚙：音ㄋㄧㄝˋ，「齧」的異體字，啃、咬。

13 駒：音ㄐㄩ，良馬、駿馬。

14 縈繞：纏繞、環繞。

15 行雲：流動的雲。

16 赤血淋漓：沾滿鮮血的樣子。

人。1925年出版第一本小說集《海濱故人》，創作之路由此展開，然而母親、丈夫郭夢良、哥哥和好友石評梅[17]，先後逝世，遭逢生離死別，使她的作品瀰漫了哀傷的情調。之後廬隱爲亡夫寫了〈雷鋒塔下〉，以哀婉美麗的情節，描述與已故戀人在雷峰塔下的戀情，感人至深，受到茅盾[18]的高度評價。

1930年，廬隱與詩人李唯建結婚，婚後在日本居住，出版了兩人的通信《雲歐情書集》，與《東京小品》。四年後，廬隱不幸在上海因難產逝世，享年三十六歲。她的創作風格直爽坦率、哀婉纏綿兼具，與冰心、林徽因齊名，爲「福州三大才女」，在「五四」時期深受文壇的矚目。作品有《海濱故人》、《曼麗》、《歸雁》、《象牙戒指》、《玫瑰的刺》、《女人的心》、《廬隱自傳》、《廬隱選集》等。

▶題解

本文出自《華嚴月刊》。藉著豐富的象徵、比喻，描述一個男子尋覓意中人——美麗的姑娘的過程。雖然男子的生命中出現過不少嬌媚的女郎，但他始終知道自己愛的是什麼，最後，更以自己的眞心贏得了美人心。文章的情節宛如神話一般，唯美的語言充滿著詩意，表現作者對堅貞愛情的嚮往與頌讚。

[17] 石評梅：（1902～1928年）中國現代女作家，原名石汝璧。
[18] 茅盾：（1896～1981年）中國現代作家及文學評論家，原名沈德鴻，字雁冰。

▶心智圖

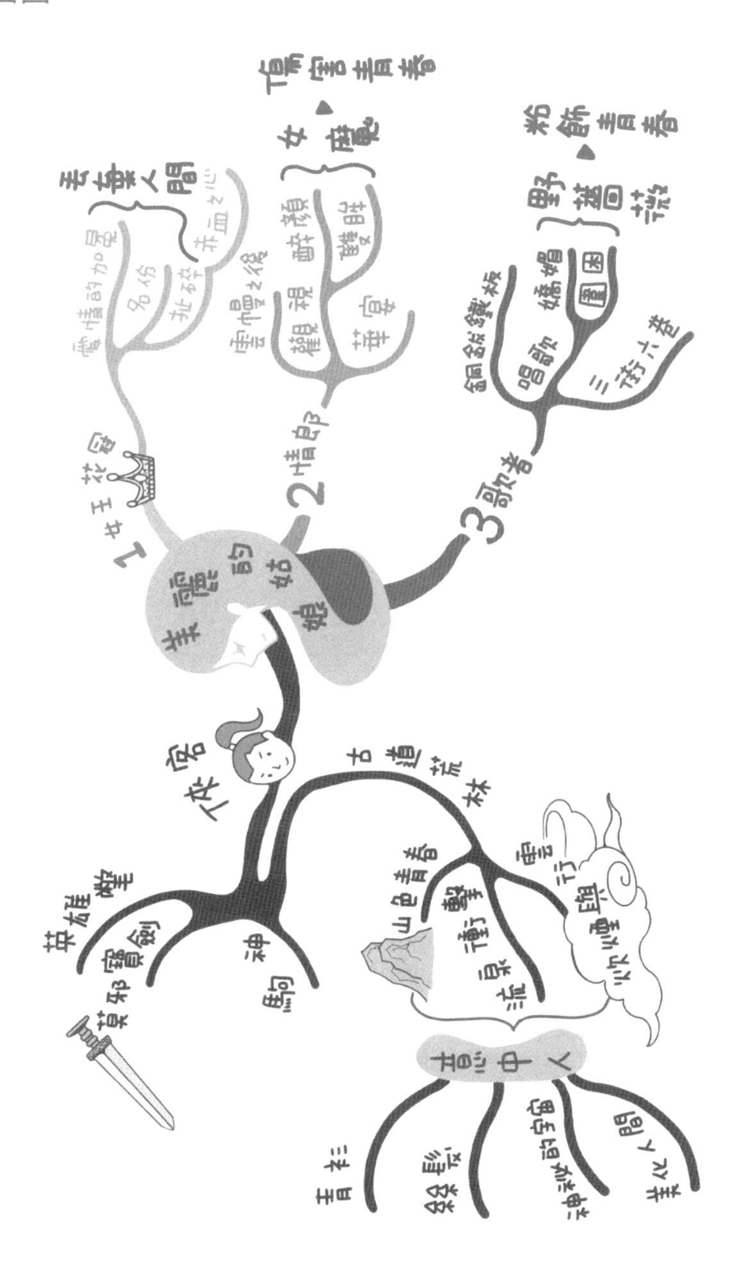
美麗的姑娘
1女王花冠
2情郎
3歌者
傷害青春
粉飾青春
銅鈸鐵板
唱歌
三街六巷
俠客
古道荒林
山色青春
莫邪寶劍
神駒
夢中人
神秘的宇宙

▶解讀心智圖：美麗的姑娘

廬隱畢業自北京女子高等師範大學國文系，她的作品往往帶有濃厚的中國舊小說、舊詩詞的風格，她也喜歡選用古典文學中常用的意象，來烘托、表達人物心理，例如垂柳、孤月、苦茶、棠梨、疏星淡月等。好比這篇散文〈美麗的姑娘〉，就運用了多種意象，開篇的第一句「女王的花冠」，代表的就是俗世愛情的加冕，象徵對愛人的讚美與名份。

男主角是「情郎」，正是廬隱心目中的「白馬王子」，他躲在「雲幔」之後窺探著堂前的一切。「雲幔」象徵了神祕感和距離，代表情郎對愛情小心翼翼的態度，以及對眞愛的朦朧窺探。眼前的「華燭」，儘管照耀著堂前明眸、紅嫩的少女，但是喧擾的「華宴」，卻只襯托出塵世的俗氣，原來少女只不過是個庸脂俗粉，她是浪費青春的「女魔」，不値得他多做停留。在這種地方，當然找不到情郎心目中眞正「美麗的姑娘」，因爲他尋找的不僅是外表的美麗，也是內在的美麗；有外在的清新脫俗，也有內在的靈氣逼人。

追尋愛情是如此艱難，但是情郎仍舊義無反顧地繼續尋覓。他選擇走了出去，轉而來到「三街六巷」，深入塵世人間，如流浪的歌者在大街小巷唱著動人的歌，希望能用美妙的歌聲吸引「美麗的姑娘」。情郎的歌聲果然吸引了眾多「嬌媚的女郎」，她們把他圍在街心，只可惜，男主角還是不屑一顧，因爲他看出來，這些姑娘最終只是「粉飾青春的野薔薇」，她們外表動人，卻沒有美麗的靈魂，男人擁有她們，只能夠享受短暫的虛榮，這不是眞愛，所以情郎還是放棄了她們。

情郎繼續尋覓愛情，既然在華宴、在街巷找不到「美麗的姑娘」，那麼就從荒林裡找吧！總會有個脫俗的靈性女子等著他。這回，他像是一位俠客，威風凜凜地帶著寶劍，騎著神駒，披著華美的披風，來到更為荒僻的「古道荒林」，尋找他的姑娘。終於在一片群山萬壑前，發現了穿著青衫、清新脫俗的女子。作者將這個女子比喻為「神祕的宇宙」，她的美甚至可以「美化人間」，是驚心動魄的，不是一般庸脂俗粉可比。

當情郎找到「美麗的姑娘」後，他將原本打算獻給意中人的「女王的花冠」扯碎了，這舉措代表那些俗世的讚美與名份都是多餘的，情郎不想用任何俗世的事物，對意中人表達愛情。於是他「劃開胸膛」，「掏出赤血淋漓的心」，呈獻給美麗的姑娘，說明了只有真摯、火熱的心，才能夠配得上這樣的愛與這樣的姑娘。真愛在真誠的人面前，宛如一杯透明的酒，不需要任何點綴與美化，就能品嚐到她的芬芳與甘美。

廬隱的這篇作品，用一連串的意象反映了她對「真愛」的見解，既是描寫情愛，書寫對真愛的探索，同時也是在告訴我們：對真理的追尋，最終必須放下世俗，回頭觀照自己的內心，才能夠真正地獲得。

▶修辭散步

1. 譬喻：如：「他如深夜被約的情郎」、「紅莓似的醉顏，朗星般的雙眸」、「他如一個流浪的歌者」、「她們如中了邪魔般」、「他如一個隱姓埋名的俠客」等。
2. 象徵：借用有形具體的事物，來表現無形抽象的觀念、情感或看不見的事物。如：「傷害青春的女魔」（不適合的情人）、「粉飾青春的野薔薇」（情感的過客）、「神祕的宇宙」（美麗的姑娘在男主角心中的地位）。

3. 倒反：將正話反說，如：「那正是他的詭計，他想利用這迷醉的歌聲尋覓你」（表面說「詭計」，實際上指男主角的浪漫追求）。

4. 感官描寫：將身體對事物的各種感受，用文字加以形容描寫，有視、聽、嗅、味、觸等感官摹寫手法。如：「四壁的山色青青，曲折的流泉衝擊著沙石，發出悲壯的音韻，茅屋上縈繞著淡淡的炊煙和行雲」（視覺＋聽覺）。

5. 誇飾：如：「他將腰間的寶劍，劃開胸膛，他掏出赤血淋漓的心，拜獻於你的足前」（誇大地表現男主角對愛情的真誠，類似俗話：「掏心挖肺」）。

他捧著女王的花冠，向人間尋覓妳—美麗的姑娘！

那些都是傷害青春的女魔，不是他所要尋覓的妳。

他從早唱到夜，驚動了多少嬌媚的女郎，但是那些都不是妳。

他將女王的花冠扯碎了，掏出赤血淋漓的心，拜獻於妳。

▶文學遊戲場

一、閱讀素養

(　　)1. 本文作者主要是在讚美什麼？
(A)讚美姑娘的美貌世間少有。
(B)讚美男主角的多情與多才多藝。
(C)讚美男主角對愛情理想的執著。
(D)讚美情侶經歷許多波折才是眞愛。

(　　)2. 以下何者不是本文所使用的意象？
(A)女王的花冠，象徵俗世愛情的加冕。
(B)傷害青春的女魔，形容害人的女妖。
(C)青春的野薔薇，形容庸脂俗粉的女性。
(D)神祕的宇宙，象徵美麗的姑娘。

二、向大師學寫作

作文題目：

每個人的內心都是渴求被愛的，正如花朵需要陽光的照射，愛情是最美的，但有時戀愛是辛苦的，因爲在愛情中，認識一個人的內心，才算是眞正認識他。在愛情中，也會面對許多挫折。你是否曾經戀愛過？或是戀愛時遇過讓你感覺甜美、心碎、煎熬的事？請以「關於愛情」爲題，寫出戀愛時的心情和你的戀愛觀。

作文提示：

審題：文章要包含兩個部分，第一是個人戀愛的經驗，第二是戀愛時遇到的各種狀況，不論是美好或痛苦，都是書寫的範圍。開頭：採用破題法，先用比喻的方式形容和定義「愛情」，例如，愛情就像一片透明的玻璃，需要小心地呵護、用心經營，才能保持光亮與美麗。經過：可在此說兩三個小故事為例，但是正、反面的事例要兼具，並書寫你從甜美或心碎的感受中獲得了什麼體悟。結尾：從以上各段總結出你的「愛情觀」，並說明愛情帶來的生命的成長。

三、心智圖練習

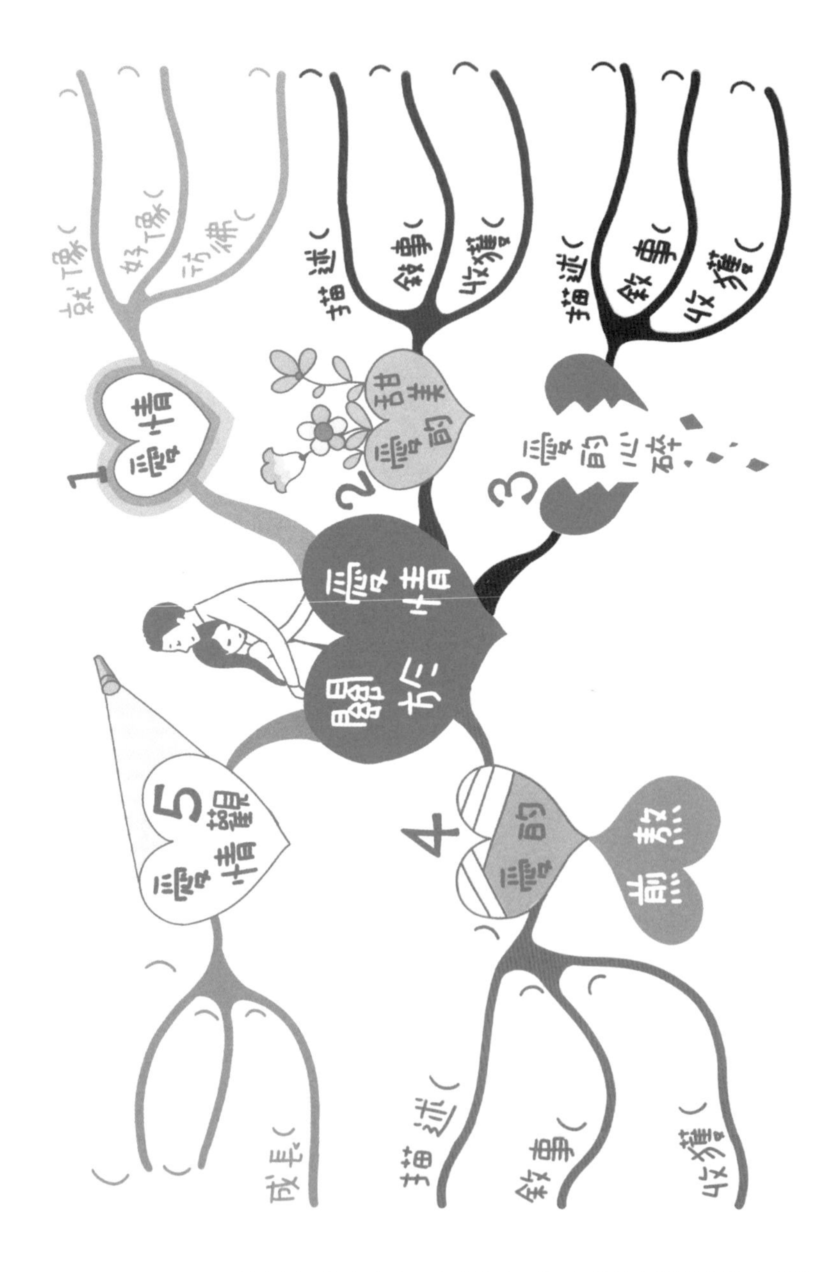

提示：以愛情歷程的各種階段分類，每個階段都有小故事。

PART 2

思考力好好玩

敘事論理

觀念大聲說

▶什麼是敘事、論理？

敘事是有條理地敘述事情發生的經過，論理就是議論，在文章中表達我們對人、事、物的看法，或批評別人的論點、說服他人。我們可以將兩者同時運用，藉著敘事來論理，這樣的議論文就會變得很活潑，只要舉例時用「說故事」的方式，再針對例子說明心得或啓示，加上一些修辭，就會讓文章變得比較軟性，更有吸引力。

議論文的結構

段落	一	二	三	四
	開頭	中段	中段	結尾
內容	提出論點	運用事例	進行論證	做出結論

▶議論有幾種方法？

議論文能表達你對人、事、物的看法。在論人方面，可以品評名人、偉人，或是生活中出現的人物，談論他們的言行對你的影響，如「我的母親」。論事方面，著重寫出生活經驗，提出立場、看法、主張和建議，如「我對體罰的看法」。

論物方面，雖然是探討具體的「物」，但更要挖掘出物的深層意義，寫出抽象的內在，並且評論它的利弊得失。比如寫「鏡子」就要探討自省的能力，寫「泥土」則注意泥土象徵人們的寄託，這樣才能表現思考深度。

以下將議論文分爲夾敘夾議、演繹歸納、前因後果、對等並重、對立相反五種：

1.夾敘夾議

「敘」是敘述具體的例子，「議」是議論看法和主張，把事實和議論成功地結合起來，就能夠彼此輔助，讓文章更有說服力。有「先敘後議」和「先議後敘」兩種。

先敘後議

先敘後議以敘述實例為主，先把例子分成幾個相關但獨立的小例子，每當敘述完一個例子，就在後面插入議論，就像漢堡。先議後敘則是先針對主題，把議論依照程度的不同，分成幾個層次，再把幾個例子穿插在議論之間，像連接火車的車廂。

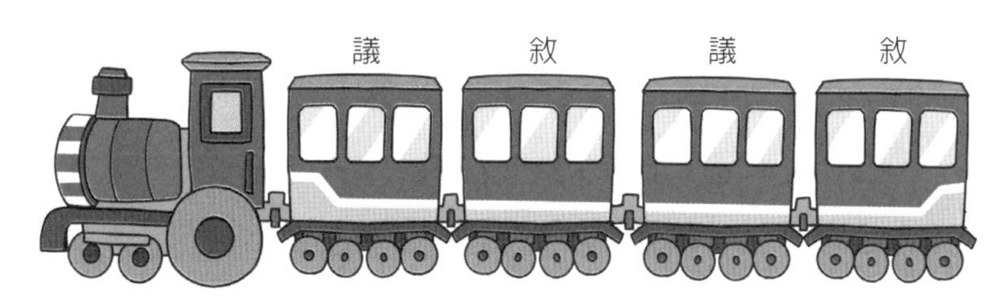

先議後敘

2.演繹歸納

演繹是先綜合論點以後，再舉例子分析。方法是以一個論點或想法當作基礎，再舉出各種事實或現象深入分析，對這些資料下判斷，證明你的論點或想法是正確的，最後下結論。又叫做「先總後分」法，如「駁逆境可以成材」：

（總）人不一定在逆境才能成材→（分）莫札特的幾個事例→結論

歸納則是先分析事證後，再綜合出結論。方法是先找出幾個事實當例子，一一加以分析與觀察，找出它們的共同點，進而推出論點，最後再歸納成結論，又叫「先分後總」法，如「改變不良的習慣」：

（分）幾則托爾斯泰的自我反省→（總）改掉不良習慣的重要→結論

3.前因後果

什麼是因果關係？牛頓提出的「第三運動定律」說：當宇宙有一力施出時（作用力），必有一力回復（反作用力）。套用到生活上，好比你從小到大都很用功（因），現在如願考上第一志願（果）。

雞生蛋，蛋又生雞，凡事都有前因後果，這就是因果關係。「因」和「果」就像連體嬰一樣，結伴而來，所以有因就有果，沒有因就沒有果。有些題目本身就包含了因果關係，特色是具有兩個主題，各代表因和果，如「付出與收穫」：

因　　果

4.對等並重

題目的結構，由兩個或三個主題所組成，每個主題的地位都同樣重要，彼此並不對立。寫作時，分清楚各個主題的關係，每個主題都要分開來論述或舉例，如果少寫了其中一個，這篇作文就不算完整。

兩項並重的例如「學問與道德」，學問、道德兩者都重要，追求學問也不能忽略修養品德。

兩項偏重，是指將題目的兩個主題分出輕重，如「做人與做事」，「做人」可以略重於「做事」，因爲做人關係到人的品德和處世態度，而且只會做事而不會做人，就無法與他人合作，所以「做人」更需要被重視。

三項並重的主題共有三個，如果將每個主題都分析，會耗掉許多時間，最快的方法就是先找出主題彼此的關係，找出一個共同點，再從這個點來論述。如「請，謝謝，對不起」的共同點是個「禮」字，就從「禮」來分別談。

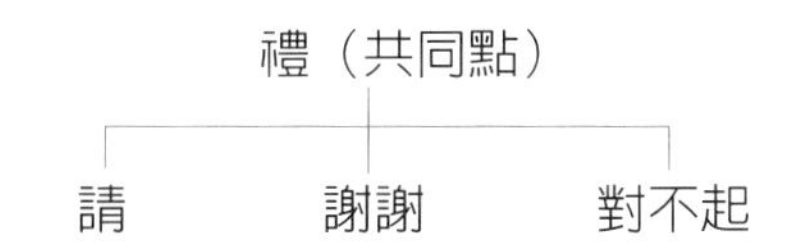

5.對立相反

這類題目也是兩項式，但兩個主題的意義相反，彼此排斥，互相對立，就像平常寫是非題，把兩個主題分出對、錯就好，可突顯事物的一體兩面。如「天使與魔鬼」，人性中包含了「天使」與「魔鬼」

兩個面相，人性是複雜的，天使是良知，魔鬼則使人犯錯，要讓自己有天使般的良知，才是正確的選擇。

名篇選讀

1.戰士和蒼蠅／魯迅

▶經典原文

Schopenhauer[1]說過這樣的話：要估定[2]人的偉大，則精神上的大和體格上的大，那法則[3]完全相反。後者距離愈遠即愈小，前者卻見得愈大。

正因爲近則愈小，而且愈看見缺點和創傷，所以他就和我們一樣，不是神道[4]，不是妖怪，不是異獸。他仍然是人，不過如此。但也惟其如此，所以他是偉大的人。

戰士戰死了的時候，蒼蠅們所首先發見[5]的是他的缺點和傷痕，嘬[6]著，營營[7]地叫著以爲得意，以爲比死

1 Schopenhauer：即叔本華（1788～1860年），德國哲學家，提倡意志哲學。認為生活意志為宇宙的本體，由此意志以生欲望，則欲望永不得滿足，故苦痛亦無終了時，世稱「厭世主義」。文中所引述的話，出自他的〈比喻．隱喻和寓言〉一文。

2 估定：評定、推算。

3 法則：可當作標準的法治和規則。

4 神道：神明。

5 發見：見，同「現」，音ㄒㄧㄢˋ。發見就是「發現」。

6 嘬：音ㄔㄨㄞˋ，叮咬。

7 營營：奔求追逐的意思，也用來形容蒼蠅飛的聲音，暗指「汲汲營營」，形容人急切求取名利的樣子。

了的戰士更英雄。但是戰士已經戰死了，不再來揮去他們。於是乎蒼蠅們即更其營營地叫，自以爲倒是不朽[8]的聲音，因爲牠們的完全，遠在戰士之上。

的確的，誰也沒有發見過蒼蠅們的缺點和創傷。

然而，有缺點的戰士終竟[9]是戰士，完美的蒼蠅也終竟不過是蒼蠅。

去罷，蒼蠅們！雖然生著翅子[10]，還能營營，總不會超過戰士的。你們這些蟲豸[11]們！

▶認識名家

周樹人（1881～1936年），原名周樟壽，筆名魯迅，字豫山、豫亭，後改名豫才。20世紀重要的作家、新文化運動領導人、思想家，作品對「五四」運動後的中國文學，產生深刻的影響。他曾於日本仙台醫學專門學校學習現代醫學，受到一部日俄戰爭的紀錄片裡，中國人圍觀日軍殺害中國人情節的刺激，認爲「救國救民須先救思想」，於是棄醫從文，希望用文學改造中國人的劣根性。

魯迅以小說創作崛起。1918年，首次用「魯迅」發表中國現代第一篇白話小說《狂人日記》，1921年再發表中篇小說《阿Q正傳》，是不朽傑作。創作題材廣泛，形式多樣，包含小說、雜文、散文、詩歌等。小說以刻畫底層百姓的生活爲主，用白描刻畫人物，

8 不朽：永不磨滅。朽，音ㄒㄧㄡˇ。
9 終竟：終究。
10 翅子：北方方言，翅膀。
11 蟲豸：本為昆蟲的通稱，這裡用以作為罵人的話。豸，音ㄓˋ。

挖掘微妙的心理變化，表現一般人思想的愚昧和生活的艱辛；散文風格冷峻清晰，展現犀利的思辨力。作品有《吶喊》、《彷徨》、《墳》、《野草》；散文集《朝花夕拾》；雜文集《熱風》、《華蓋集》、《華蓋集續編》等。

▶題解

〈戰士和蒼蠅〉是魯迅於1925年寫的一篇雜文。文章先揭示了「缺點和創傷，並不影響戰士」的中心思想，而後再以「蒼蠅」爲喻，揭露當時軍閥們卑劣的本質。文中以戰士和蒼蠅對比，前者爲國奮鬥乃至以身殉國，後者是那些攻擊戰士的軍閥，形成鮮明對比，表達了魯迅對革命烈士的讚頌、對軍閥的鄙夷之情。語言簡潔明快，比喻巧妙，是一篇哲理深刻的議論文。

▶解讀心智圖：戰士和蒼蠅

魯迅在1925年4月3日發表了〈這是這麼一個意思〉文章，說明了撰寫此文的動機。他說：「所謂戰士者，是指（孫）中山先生，和民國元年前後殉國，而反受奴才們譏笑糟蹋的先烈；蒼蠅則當然是指奴才們。」他以戰士和蒼蠅，分別比喻以身殉國的革命先烈和攻擊他們的軍閥，表達了他對革命先烈的讚頌，也諷刺了那些軍閥卑鄙的言行。

文章首先引用了德國哲學家叔本華（Schopenhauer）的名言，說明偉大的人物有缺點和創傷並不稀奇，因爲他們不是聖人，也不是完人，他們跟我們一樣只是個凡人，不是什麼「神道、妖怪、異獸」。在普通人身上有「精神上的大」，更能彰顯偉人的不凡。如果是天生聖人，那麼他的偉大就不特別了，但是一個普通人的偉大，卻相當

▶心智圖

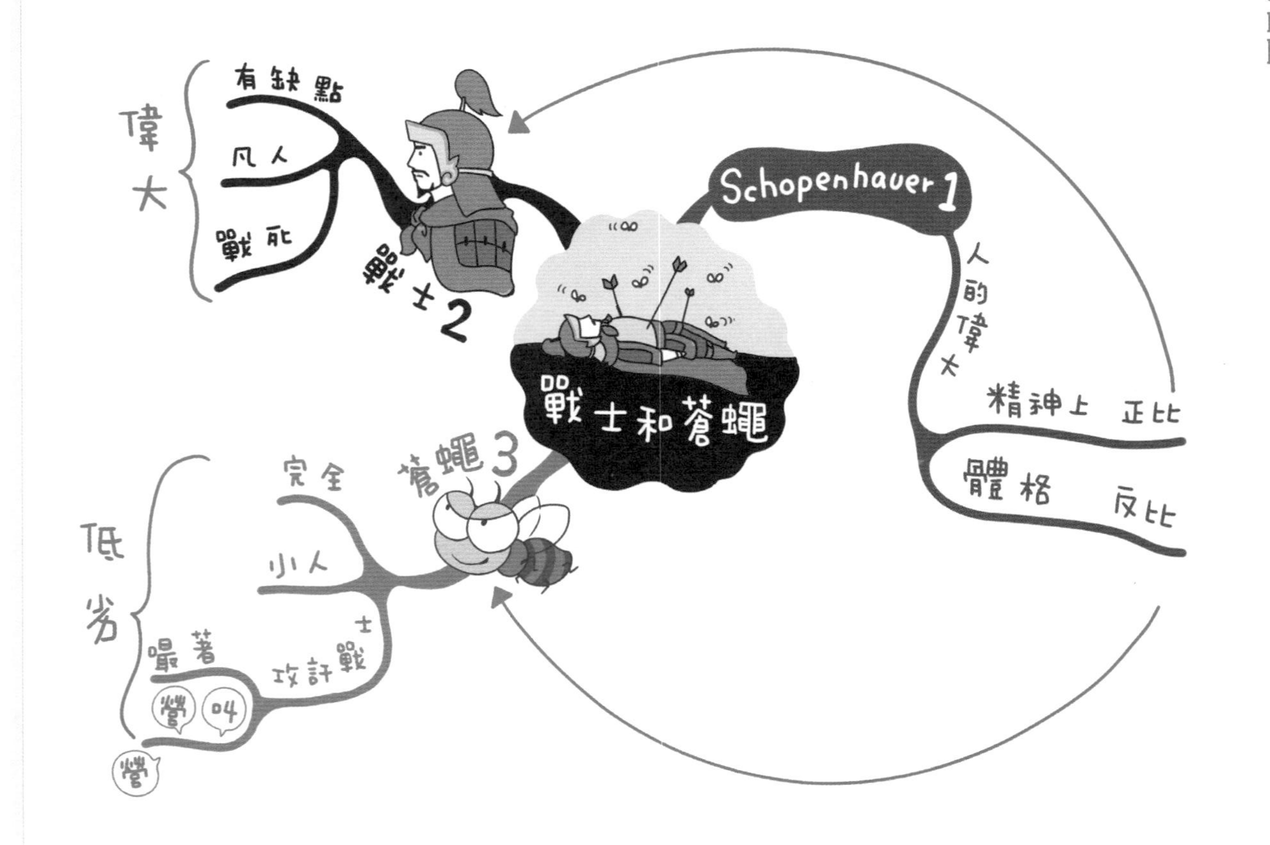

戰士和蒼蠅
Schopenhauer 1
人的偉大
精神上 正比
體格 反比
戰士 2
有缺點
凡人
戰死
偉大
蒼蠅 3
完全
小人
攻訐戰士
嗡著
嗡
叫
嗡
低劣

難能可貴。魯迅反對把偉大的人物給神化，反對造神，他認為偉大的「戰士」只是平凡人，所以不可避免會有一些「缺點」，這對他們的「偉大」並沒有影響。

接著，作者用「戰士和蒼蠅」的比喻，具體地對照偉大的革命戰士和醜陋的軍閥。這些軍閥就像嗜血的蒼蠅一般，見不得人好，他們利用革命先烈的一些缺點、錯誤，就大加撻伐、攻擊，企圖將戰士的光輝給抹煞掉，好達到醜化革命行動的目的。軍閥們的醜態就好比蒼蠅，當戰士們戰死在沙場上時，蒼蠅「首先發見的是他的缺點和傷痕，嘬著，營營地叫著以為得意」，忽視戰士的功勞；他們想喧賓奪主、搶功勞，冒充英雄。「蒼蠅」營私利己，本性醜陋不堪，沒有自知之明，也看不見自己的醜。

因此，作者諷刺軍閥們：「的確的，誰也沒有發見過蒼蠅們的缺點和創傷。」運用倒反法說反話，表面說蒼蠅們很完美，實際上諷刺他們。接著，又一針見血地指出：「有缺點的戰士終竟是戰士，完美的蒼蠅也終竟不過是蒼蠅。」因為戰士的本質是偉大的，有缺點但瑕不掩瑜；而蒼蠅的本質是醜陋的，再完美的蒼蠅還是蒼蠅，永遠都做不了戰士。醜陋的軍閥仍舊是軍閥，永遠當不了英雄，只能冒充英雄，但終究會給人看穿。最後，魯迅以戰士的口吻，揮去蒼蠅的姿態，對軍閥（蒼蠅）大聲喝斥、驅趕，結束了全文，讀起來痛快淋漓。

魯迅對於當時的政治時局有感而發，透過文章揭示了一個眞理：像孫中山先生這樣的革命戰士和攻訐革命者的軍閥們，兩者不能相提並論，軍閥的誹謗傷害不了革命戰士的偉大人格。文章中沒有抽象的說教，也沒有潑婦罵街式的直白，採用的是比喻、象徵和擬人的寫法，以嘻笑怒罵的方式、風趣幽默的語言，來表達對蒼蠅（軍閥）的憎惡，間接地襯托出戰士（革命者）的高貴品質。在結尾又故意直接斥喝那些「蒼蠅」，既幽默又辛辣，達到很好的藝術效果。文章層次分明，內容耐人尋味。

▶修辭散步

1. 引用：引用別人的話或典故、俗語等，利用一般人崇拜權威及對大眾意見的遵從，加強自己言論的說服力。如：「Schopenhauer說過這樣的話：要估定人的偉大，則精神上的大和體格上的大，那法則完全相反。」
2. 排比：如：「不是神道，不是妖怪，不是異獸。」「有缺點的戰士終竟是戰士，完美的蒼蠅也終竟不過是蒼蠅。」等。
3. 象徵：如：「戰士」象徵革命者、烈士，「蒼蠅」、「蟲豸」象徵軍閥。
4. 摹聲：用狀聲詞，把耳朵聽到的聲音描繪出來。如：「營營地」（蒼蠅飛行的聲音）。
5. 雙關：一語同時關顧到兩種事物，或兼含兩種意義的修辭方法。如：「營營」可形容蒼蠅飛的聲音，在又是形容人「汲汲營營」的意思。
6. 呼告：對不在現場的人或物直接呼喚，並跟他（它）說話。如：「去罷，蒼蠅們！」「你們這些蟲豸們！」

戰士就和我們一樣，有缺點和創傷，所以是偉大的人。

戰士戰死了，蒼蠅們首先發現的是他的缺點和傷痕。

蒼蠅們營營地叫著以為得意，以為比死了的戰士更英雄。

有缺點的戰士終究是戰士，完美的蒼蠅終究是蒼蠅。

▶文學遊戲場

一、閱讀素養

（　　）1. 作者撰寫此文，主要反對的是什麼？

(A)反對蒼蠅不尊重戰士的屍體。

(B)反對造神，不願將偉大的戰士給神話。

(C)反對軍閥嗜血無情地攻訐革命者。

(D)反對蒼蠅死皮賴臉，怎麼趕都趕不走。

（　　）2. 以下句子所使用的修辭何者有誤？

(A)有缺點的戰士終竟是戰士，完美的蒼蠅也終竟不過是蒼蠅。（排比）

(B)營營地叫著以爲得意。（摹聲）

(C)Schopenhauer說過這樣的話：要估定人的偉大，則精神上的大和體格上的大，那法則完全相反。（引用）

(D)去罷，蒼蠅們！你們這些蟲豸們！（感嘆）

二、向大師學寫作

作文題目：

不論我們願不願意，生活在這個世上，每個人都難免遭遇偏見，每個人也都有可能成爲製造偏見的人，難怪有人說，偏見其實是人類與生俱來的一種本性。偏見會導致社會的紊亂，使人我之間產生衝突，我們又該如何以「關愛」來取代「偏見」？對此，你有什麼想法或見解？請以個人生活經驗爲主，寫一篇題目爲「偏見與關愛」的文章。

作文提示：

審題：「偏見與關愛」和「戰士和蒼蠅」都是對立關係的題目，首先要將題目理解為「要消除偏見，勇於關愛他人」，作為文章的主旨。開頭：引用名言，再用列舉法，敘述世上幾種普遍的偏見，比如男性對女性的偏見、大人對小孩的偏見等，說明人人都有偏見，造成社會的紊亂與人我的不和諧。經過：運用正反法，先敘述自己對他人有偏見的故事，造成了什麼後果。之後再敘述自己轉變心態，而以關愛他人代替偏見，發生了意想不到的好處。結尾：用呼告法呼喚讀者，說出關愛他人的重要性，以達到勸勉、鼓舞的效果。

三、心智圖練習

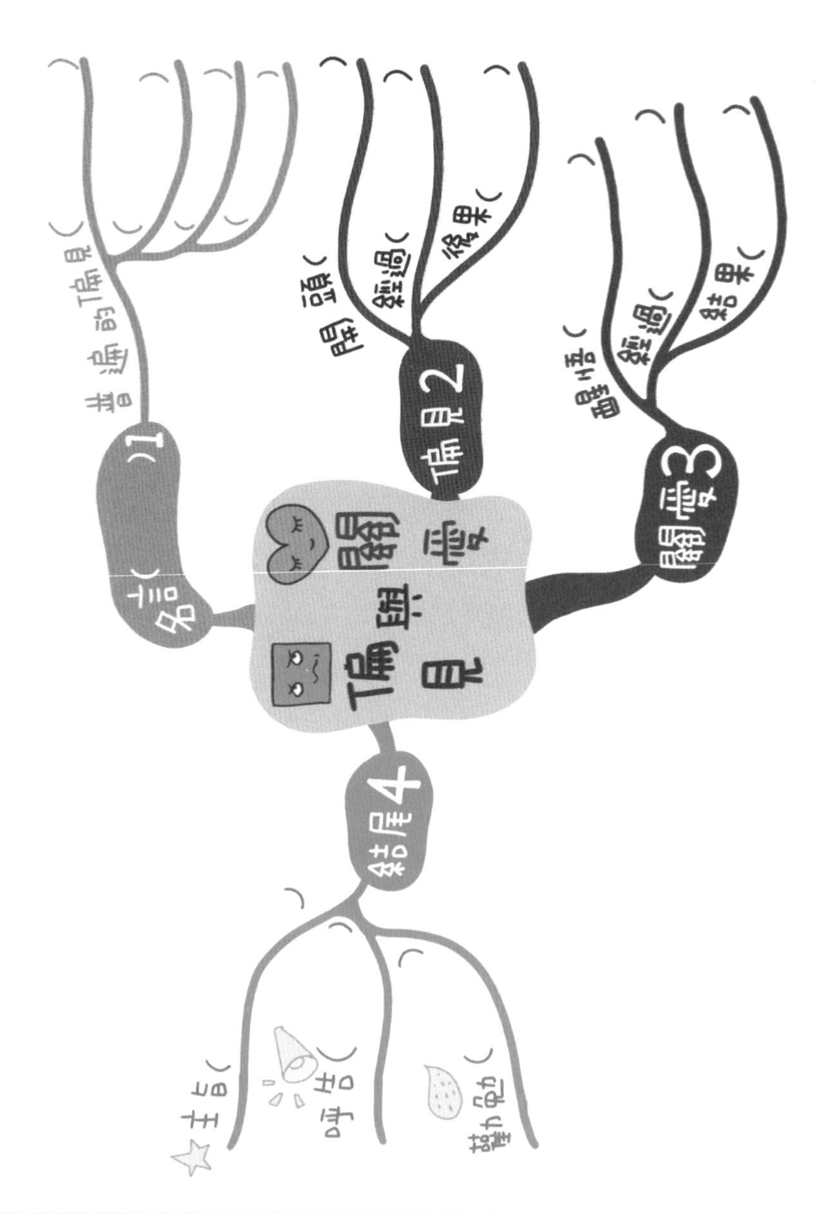

提示：以偏見、關愛兩者對比的方式分類，各舉出故事為例子。

名篇選讀

2.餓 / 蕭紅

▶經典原文

「列巴圈」[1]掛在過道[2]別人的門上，過道好像還沒有天明，可是電燈已經熄了。夜間遺留下來睡朦朦的氣息充塞[3]在過道，茶房氣喘著，抹著地板。我不願醒得太早，可是已經醒了，同時再不能睡去。

廁所房的電燈仍開著，和夜間一般昏黃，好像黎明還沒有到來，可是「列巴圈」已經掛上別人家的門了！有的牛奶瓶也規規矩矩地等在別的房間外。只要一醒來，就可以隨便吃喝。但，這都只限於別人，是別人的事，與自己無關。

扭開了燈，郎華[4]睡在床上，他睡得很恬靜，連呼吸也不震動空氣一下。聽一聽過道連一個人也沒走動。全旅館的三層樓都在睡中，越這樣靜越引誘我，我的那種想頭[5]越堅決。過道尚沒有一點聲息，過道越靜越引

1 列巴圈：俄語的譯音，指麵包。
2 過道：房子與房子、牆壁與牆壁之間可通行的窄路。
3 充塞：塞滿。塞，音ㄙㄜˋ。
4 郎華：即蕭紅的丈夫蕭軍，蕭紅常在文中稱他「三郎」。
5 想頭：念頭。

誘我，我的那種想頭越想越充脹[6]我：去拿吧！正是時候，即使是偷，那就偷吧！

輕輕扭動鑰匙，門一點響動也沒有。探頭看了看，「列巴圈」對門就掛著，東隔壁也掛著，西隔壁也掛著。天快亮了！牛奶瓶的乳白色看得眞眞切切，「列巴圈」比每天也大了些，結果什麼也沒有去拿，我心裡發燒，耳朵也熱了一陣，立刻想到這是「偷」。

兒時的記憶再現出來，偷梨吃的孩子最羞恥。過了好久，我就貼在已關好的門扇上，大概我像一個沒有靈魂的、紙剪成的人貼在門扇。大概這樣吧：街車喚醒了我，馬蹄嗒嗒[7]、車輪吱吱地響過去。我抱緊胸膛，把頭也掛到胸口，向我自己心說：我餓呀！不是「偷」呀！

第二次也打開門，這次我決心了！偷就偷，雖然是幾個「列巴圈」，我也偷，爲著我「餓」，爲著他「餓」。

第二次失敗，那麼不去做第三次了。下了最後的決心，爬上床，關了燈，推一推郎華，他沒有醒，我怕他醒。在「偷」這一刻，郎華也是我的敵人；假若我有母親，母親也是敵人。

6　充脹：形容極為充滿。

7　嗒嗒：音ㄉㄚ，狀聲詞，馬蹄聲。

天亮了！人們醒了。做家庭教師，無錢吃飯也要去上課，並且要練武術。他喝了一杯茶走的，過道那些「列巴圈」早已不見，都讓別人吃了。

從昨夜到中午，四肢軟一點，肚子好像被踢打放了氣的皮球。

窗子在牆壁中央，天窗似的，我從窗口升了出去，赤裸裸，完全和日光接近；市街臨在我的腳下，直線的，錯綜著許多角度的樓房，大柱子一般工廠的煙囪，街道橫順交織著，禿光的街樹。白雲在天空做出各樣的曲線，高空的風吹亂我的頭髮，飄蕩我的衣襟。市街像一張繁繁雜雜顏色不清晰的地圖，掛在我們眼前。樓頂和樹梢都掛住一層稀薄的白霜，整個城市在陽光下閃閃爍爍撒了一層銀片。我的衣襟被風拍著作響，我冷了，我孤孤獨獨的好像站在無人的山頂。每家樓頂的白霜，一刻不是銀片了，而是些雪花、冰花，或是什麼更嚴寒的東西在吸我，像全身浴在冰水裡一般。

我披了棉被再出現到窗口，那不是全身，僅僅是頭和胸突[8]在窗口。一個女人站在一家藥店門口討錢，手下牽著孩子，衣襟裹著更小的孩子。藥店沒有人出來理她，過路人也不理她，都像說她有孩子不對，窮就不該

8 突：凸起，伸出。

有孩子，有也應該餓死。

我只能看到街路的半面，那女人大概向我的窗下走來，因爲我聽見那孩子的哭聲很近。

「老爺，太太，可憐可憐……」可是看不見她在逐[9]誰，雖然是三層樓，也聽得這般清楚，她一定是跑得顛顛斷斷[10]地呼喘：「老爺老爺……可憐吧！」

那女人一定正像我，一定早飯還沒有吃，也許昨晚的也沒有吃。她在樓下急迫地來回的呼聲傳染了我，肚子立刻響起來，腸子不住地呼叫……

郎華仍不回來，我拿什麼來餵肚子呢？桌子可以吃嗎？草褥子[11]可以吃嗎？

曬著陽光的行人道，來往的行人，小販乞丐……這一些看得我疲倦了！打著呵欠，從窗口爬下來。

窗子一關起來，立刻生滿了霜，過一刻，玻璃片就流著眼淚了！起初是一條條的，後來就大哭了！滿臉是淚，好像在行人道上討飯的母親的臉。

我坐在小屋，像餓在籠中的雞一般，只想合起眼睛來靜著，默著，但又不是睡。

「咯[12]，咯！」這是誰在打門！我快去開門，是三

[9] 逐：跟隨，追尋。這裡指四處尋找人討飯的模樣。

[10] 顛顛斷斷：快跑急衝時震盪的樣子。

[11] 草褥子：以草編成，睡覺時用來鋪墊的墊被。褥，音ㄖㄨˋ。

[12] 咯：音ㄍㄜ，狀聲詞，形容喉頭聲響、雞叫聲、笑聲等。

年前舊學校裡的圖畫先生。

他和從前一樣很喜歡說笑話，沒有改變，只是胖了一點，眼睛又小了一點。他隨便說，說得很多。他的女兒，那個穿紅花旗袍的小姑娘，又加了一件黑絨上衣，她在藤椅上，怪美麗的。但她有點不耐煩的樣子：「爸爸，我們走吧。」小姑娘哪裡懂得人生！小姑娘只知道美，哪裡懂得人生？

曹先生問：「你一個住在這裡嗎？」

「是——」我當時不曉得爲什麼答應「是」，明明是和郎華同住，怎麼要說自己住呢？好像這幾年並沒有別開，我仍在那個學校讀書一樣。

他說：「還是一個人好，可以把整個的心身獻給藝術。你現在不喜歡畫，你喜歡文學，就把全心身獻給文學。只有忠心於藝術的心才不空虛，只有藝術才是美，才是眞美情愛。這話很難說，若是爲了性慾才愛，那麼就不如臨時解決，隨便可以找到一個，只要是異性。愛是愛，愛很不容易，那麼就不如愛藝術，比較不空虛……」

「爸爸，走吧！」小姑娘哪裡懂得人生，只知道「美」，她看一看這屋子一點意思也沒有，床上只鋪一張草褥子。

「是，走——」曹先生又說，眼睛指著女兒：

「你看我，十三歲就結了婚。這不是嗎？曹雲都十五歲啦！」

「爸爸，我們走吧！」

他和幾年前一樣，總愛說「十三歲」就結了婚。差不多全校同學都知道曹先生是十三歲結婚的。

「爸爸，我們走吧！」

他把一張票子丟在桌上就走了！那是我寫信去要的。

郎華還沒有回來，我應該立刻想到餓，但我完全被青春迷惑了，讀書的時候，哪裡懂得「餓」？只曉得青春最重要，雖然現在我也並沒老，但總覺得青春是過去了！過去了！

我冥想了一個長時期，心浪和海水一般翻了一陣。

追逐實際吧！青春惟有自私的人才繫念她，「只有飢寒，沒有青春」。

幾天沒有去過的小飯館，又坐在那裡邊吃喝了。「很累了吧！腿可疼？道外道裡要有十五里路。」我問他。

只要有得吃，他也很滿足，我也很滿足。其餘什麼都忘了！

那個飯館，我已經習慣，還不等他坐下，我就搶個地方先坐下，我也把菜的名字記得很熟，什麼辣椒白菜啦，雪裡紅豆腐啦……什麼醬魚啦！

用魚骨頭炒一點醬，借一點腥味就是啦！我很有把握，我簡直都不用算一算就知道這些菜也超不過一角錢。因此我用很大的聲音招呼，我不怕，我一點也不怕花錢。

回來沒有睡覺之前，我們一面喝著開水，一面說：「這回又餓不著了，又夠吃些日子。」

閉了燈，又滿足又安適地睡了一夜。

▶認識名家

蕭紅（1911～1942年），原名張廼（ㄋㄞˇ）瑩，筆名蕭紅、悄吟，黑龍江省呼蘭縣人，幼年喪母，繼母對她施以虐待，父親淡漠疏離，使她的心靈留下陰影。在哈爾濱就讀中學時，接觸了「五四」運動以來的進步思想和文學，之後更受到魯迅、茅盾和美國作家辛克萊作品的影響。

1934年，蕭紅與丈夫蕭軍移居青島觀象一路1號的兩層小樓，寫完了成名作《生死場》，魯迅稱讚其具有「女性作者的細緻的觀察和越軌的筆致」，並在魯迅的推薦下出版，蕭紅從此確立在現代文學史的地位。她的作品對鄉土與女性充滿關懷，語言溫順平和而略帶哀婉，書寫故鄉及摯愛時，詼諧、熱鬧、溫暖、華麗兼具；論及中國的民族性則辛辣諷刺。創作不受意識形態束縛，也不受文體技巧限制，更不受政治環境影響。作品有短篇及長篇小說、散文、詩歌，代表作爲《生死場》、《呼蘭河傳》等。

▶題解

〈餓〉出自散文集《商市街》。1932年，松花江決堤，蕭軍帶著蕭紅逃出困境後，就住進旅館同居，因為沒有固定收入，二人只靠著蕭軍擔任家庭教師時的收入和借債勉強度日，但是他們患難與共，感情融洽，本文描述的就是當時艱困的情景。全文以飢餓時的心理感受貫串，字裡行間寄託了蕭紅對個人身世飄零的感嘆，也飽含面對黑暗現實的心境。

▶心智圖解讀：餓

三十一歲就逝世的蕭紅，一生頗多磨難，她從中學會了與貧窮、飢餓共處，所以這兩者就成為蕭紅散文最常見的題材。在她許多表現「餓」的作品中，本篇〈餓〉是最具代表性的一篇。文章以飢餓時獨特的心理感受貫串全文，在字裡行間，寄寓著蕭紅對個人身世飄零的感嘆，對青春歲月的留戀與追逐實際的感傷，同時，也飽含著對黑暗現實的無奈心境。

文章一開始，因為極度飢餓而「餓醒」的作者醒了過來，其時天還沒亮，卻再也睡不著了，一早起來等待食物時飢餓的感覺，促使她對掛在別人家門前的「列巴圈」，產生了渴望。作者細緻地描繪出想要偷「列巴圈」的心理掙扎，及種種反覆的折磨：她「心裡發燒、耳朵熱」，想到了羞恥心，也想蒙蔽良心地認定那不是「偷」，最後終究因為自尊而不偷了。儘管餓得「四肢軟、肚子像洩了氣的皮球」，她還是選擇被飢餓折磨下去。

在等待丈夫「郎華」（蕭軍）回家的百無聊賴中，作者暫時忽略了飢餓，她打開其他感官，聆聽街上傳來的聲音，看看街上的人事物。她看見一個帶小孩的女人在街上討錢，看見路人不理、窮人挨餓

▶心智圖

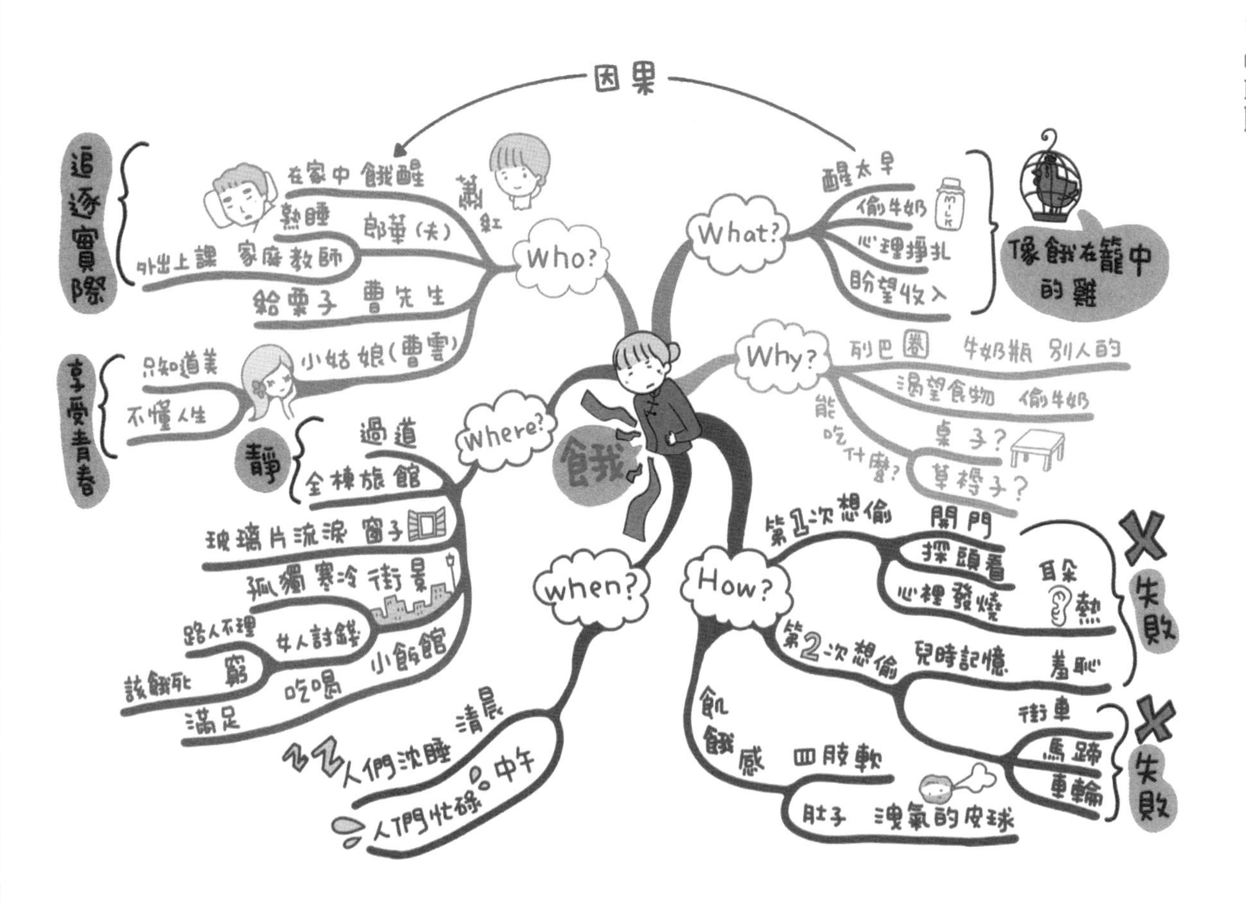

因果
餓
Who?
在家中 餓醒
蕭紅
熟睡
郎華（夫）
外出上課 家庭教師
給栗子 曹先生
小姑娘（曹雲）
只知道美
不懂人生
追逐實際
享受青春
What?
醒太早
偷牛奶
心理掙扎
盼望收入
像餓在籠中的雞
Why?
列巴圈 牛奶瓶 別人的
渴望食物 偷牛奶
能吃什麼？
桌子？
草凳子？
Where?
靜
過道
全棟旅館
玻璃片流淚 窗子
孤獨寒冷 街景
路人不理 女人討錢
該餓死 窮
小飯館
吃喝
滿足
when?
清晨
人們沈睡
中午
人們忙碌
How?
第1次想偷
開門
探頭看
心裡發燒
耳朵熱
失敗
第2次想偷
兒時記憶
羞恥
街車
馬蹄
車輪
失敗
飢餓感
四肢軟
肚子 洩氣的皮球

的景象，對應到她自身，引發出種種喟嘆。作者對個人身世飄零的感嘆，以及處於飢餓痛苦折磨的處境，絲毫未損她的同情心。在這裡，對街景、天氣的描繪，充滿寒冷與孤獨的氛圍，融情入景，情景交融，人與景似乎悲寒地互相對視，彼此相憐。

蕭紅寫「餓」，描寫的是「餓得只剩下虛無的存在感」，她想挖掘的，是最根本、也最貧乏的問題：吃飽還是挨餓？活著還是死掉？因此，在一連串的飢餓描寫過後，出現了「曹先生來訪」的情節，帶來了「票子」，這筆收入，爲困境帶來了一線生機。但是她特別強調「那是我寫信去要的」，她放下身段去討錢，對自尊的損傷就如同街上討錢的女人，但迫於現狀，不得不然。蕭紅還是有作家的矜持，曹先生對她說：「你喜歡文學，就把全身心獻給文學。只有忠心於藝術的心才不空虛，只有藝術才是美，才是眞美情愛。」這段話與其說是曹先生的嘮叨教誨，更像是蕭紅的內心寫照，體現出她對自己作家、藝術家身份的矜持。

曹先生帶來的女兒「小姑娘」，則是作爲青春歲月的對照，作者不止一次感嘆：「小姑娘哪裡懂得人生！小姑娘只知道美。」嘆息自己已逝的青春。蕭紅的青春時期儘管也多所磨難，但畢竟青春年少，不像後來這般爲貧窮所困、爲追逐實際所苦。這裡又引發讀者的感嘆，文學、藝術雖美，似乎還美不過飽食一頓的滿足。

在蕭紅的散文中出現過的飢餓不計其數，變化繁多。一般人寫「餓」，寫來寫去只有幾種說法，但看這篇，卻以幾百字、數個比喻、景物描繪、人物穿插等等技巧，就穿透了「餓」的主題，把「餓」聯繫到人生存在、現實與美等形而上的層面，技巧高妙，令人嘆服。在蕭紅的筆下，彷彿要是不吃不喝，人不只做不了人，過得沒有尊嚴，甚至會「像餓在籠中的雞一般」，淪爲動物，或是如「雪花、冰花」一般的死物，毫無存在感可言。

飢餓是人生遇過的悲慘遭遇之一，然而只有蕭紅，能將悲慘透過生花妙筆，轉化爲藝術境界。讀過了〈餓〉，一股深沉的悲涼從文章中，直透入人心深處，只有眞正經歷過生活艱難的人，才能寫出這些刻骨銘心的感受。

▶修辭散步

1. 感官摹寫：如：「夜間遺留下來睡朦朦的氣息充塞在過道」（嗅覺）、「牛奶瓶的乳白色看得真真切切」（視覺）、「我心裡發燒，耳朵也熱了一陣」（觸覺＋心覺）、「街車喚醒了我，馬蹄嗒嗒、車輪吱吱地響過去」（聽覺、狀聲詞）等。
2. 誇飾：如：「他睡得很恬靜，連呼吸也不震動空氣一下。」
3. 反覆：為強調某種意思、突出情感，重複使用某些詞語、句子或段落。如：「越這樣靜越引誘我，……過道越靜越引誘我」、「小姑娘哪裡懂得人生！小姑娘只知道美……小姑娘哪裡懂得人生，只知道『美』」等。
4. 感嘆：用呼聲表露情感，藉著各種嘆詞、助詞來強調內心的驚訝或讚嘆、傷感或痛惜、歡笑或譏嘲等。一般常用的嘆助詞如「哇」、「啊」、「唉」、「哦」、「喲」等。如：「去拿吧！正是時候，即使是偷，那就偷吧！」「我餓呀！不是『偷』呀！」「但總覺得青春是過去了！過去了！」。
5. 譬喻：如：「大概我像一個沒有靈魂的、紙剪成的人貼在門扇」、「肚子好像被踢打放了氣的皮球」、「窗子在牆壁中央，天窗似的」、「市街像一張繁繁雜雜顏色不清晰的地圖」、「我孤孤獨獨的好像站在無人的山頂」、「像全身浴在冰水裡一般」、「心浪和海水一般翻了一陣」等。

6. 擬人：如：「腸子不住地呼叫」、「過一刻，玻璃片就流著眼淚了」等。

7. 設問：心中確有疑問，或心中早有定見，只是為促使對方自省時用。如：「我拿什麼來餵肚子呢？桌子可以吃嗎？草褥子可以吃嗎？」（激問）「怎麼叫醬魚呢？哪裡有魚！」（提問）。

8. 呼告：如：「追逐實際吧！」

▶漫畫經典

探頭看了看，「列巴圈」對門就掛著，結果什麼也沒有去拿。

一個女人手牽著孩子討錢。窮就不該有孩子，有也應該餓死？

曹先生把一張票子丟在桌上就走了，那是我寫信去要的。

幾天沒去過的小飯館，又坐在那裡吃喝了，只要有得吃，其餘什麼都忘了！

▶文學遊戲場

一、閱讀素養

（　　）1. 文中出現「曹先生來訪」的情節，用意爲何？
(A)讓曹先生落井下石襯托蕭紅的困境。
(B)用小姑娘的青春對照蕭紅的滄桑。
(C)用小姑娘的美麗突顯蕭紅的貧賤。
(D)爲了使蕭紅夫妻解決飢餓問題。

（　　）2. 以下何者爲作者的心理掙扎描寫？
(A)兒時的記憶再現出來，偷梨吃的孩子最羞恥。
(B)我拿什麼來餵肚子呢？桌子可以吃嗎？草褥子可以吃嗎？
(C)我抱緊胸膛，把頭也掛到胸口，向我自己心說：我餓呀！不是「偷」呀！
(D)她在樓下急迫地來回的呼聲傳染了我，肚子立刻響起來，腸子不住地呼叫……

二、向大師學寫作

作文題目：

生活中，可能會發生某件事情，能夠啓發我們的一些想法，這件事也許帶來了痛苦、折磨，也許帶來的是喜悅、希望，無論如何，都促使我們成長，令人終身難忘，想一想，你曾經受到什麼事情的啓發？以「一件事的啓示」爲題，敘述事件的經過和得到的啓示。

作文提示：

審題：選擇一件印象深刻的事來寫，這件事可能對你造成衝擊，影響到你的人生。將事件敘述出來，著墨在個人成長前後的轉折，才能將你得到的「啓示」突顯出來。開頭：使用比喻法，將人生比喻為調味料，各種滋味無法預先知道，所以成長的路上所遇到的種種事情，必須親身體驗才能明白。經過：用回憶法帶讀者回到事發當時。寫作時可以強調心理的描寫，分成事發前、事發時和事件過後，有層次的描寫心理上的糾結，最後帶出醒悟。結尾：用感想法，適合運用倒反修辭，藉著啓示來反省自己，將會令讀者感受到那份誠懇。

三、心智圖引導

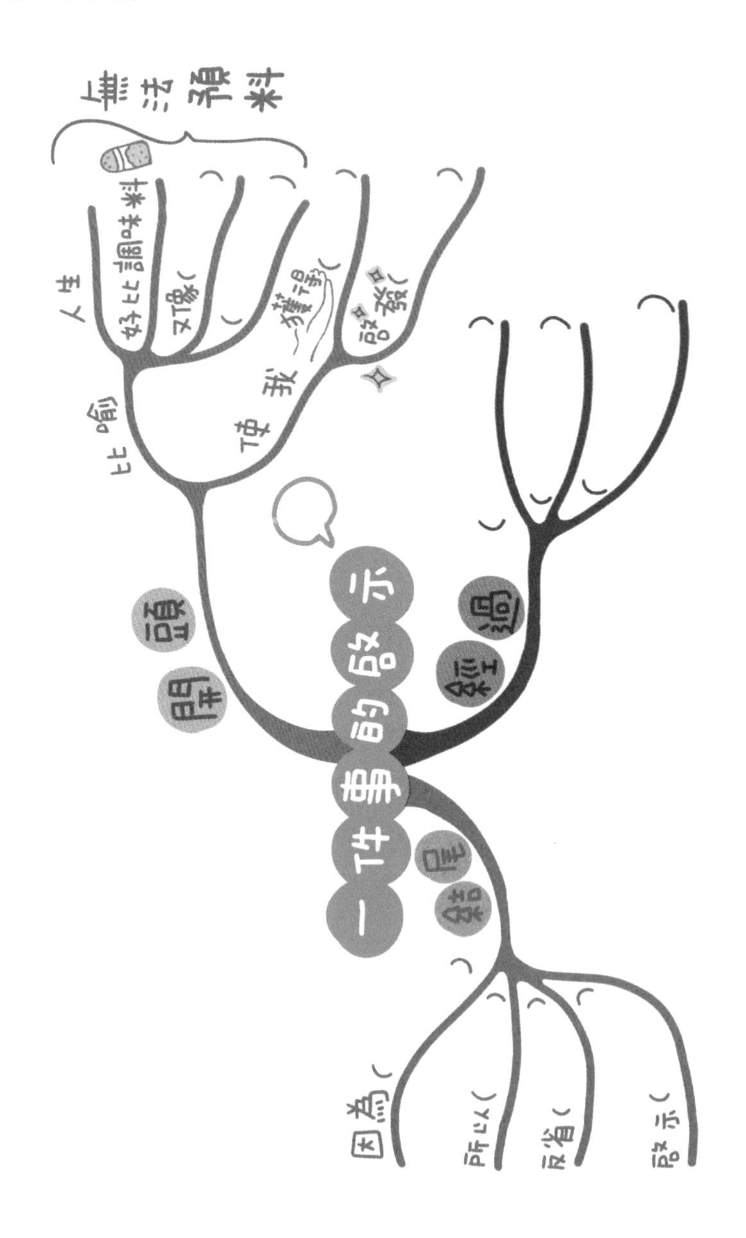

提示：敘述「經過」時，也要有次序地分三個層次。

名篇選讀

3.怕鬼／張我軍

▶經典原文

本來，我是每到夜半必上廁所一次的，但是自從芳鄰[1]死後，上廁所也發生問題了。問題是在廁所正對著二十三號病室[2]。我是不信鬼的，而且自以爲不怕鬼。可是說也奇怪，自從這一天，夜半醒了，照例要上廁所，卻又躊躇[3]起來，往往就憋到天亮。有時實在憋不住了，便抖擻[4]精神，壯著膽子出去，走到二十三號門口時，便不由自己地瞪一瞪那個門，然後使勁推開廁所的門，定睛望望內部之後，才大踏步邁進去。辦完事要回去，也照樣使勁拉開門，站穩了瞪一瞪二十三號的門，然後大踏步邁出去，一股氣邁到我們的病室，回頭再瞪一眼才開門進房。

這種情形，當然是怕鬼無疑的了。不信鬼又怎麼會怕死呢？這是不錯的，我也嗤笑[5]我自己矛盾。其實我還是不信鬼，也不是怕鬼。只是天下事總有個萬一，所

1 芳鄰：敬稱鄰居。此指隔壁二十三號病室的病人。

2 二十三號病室：是張我軍妻子所住的病室的隔鄰，姓「鈴木」，後來病死了，引起張我軍對生、死問題的思索。內容見張我軍的〈病房雜記〉一文。

3 躊躇：音ㄔㄡˊ ㄔㄨˊ，猶豫不決。

4 抖擻：奮發，振作。擻，音ㄙㄡˇ。

5 嗤笑：譏笑，嘲笑。嗤，音ㄔ。

以雖然不信有鬼，若萬一眞出了鬼，便該怎樣？若萬一跑出來的鬼，是個像《聊齋》[6]所談的風流儒雅的鬼，當然是不但不必怕，而且可以談談。可是倘若是個凶惡獰[7]猛的鬼，便難免嚇壞了。於是爲防萬一起見，我總避開萬一有見鬼的可能的地點和時間。遇到無法避開之時，總要預備和它苦鬥一場，所以行動特別愼重。

然而想來實在好笑，對於虛無飄渺[8]的鬼，既不信其有，又不敢斷然信其絕無。這都是我們祖先的罪過，誰叫他們教給我們說「人死了都變成鬼，而且都會吃人」呢？

▶認識名家

張我軍（1902～1955年），作家，臺北板橋人，祖籍福建漳州南靖縣人，原名張清榮。先後肄業及畢業於北京中國大學及北京師大，受「五四」文學運動影響，發表了臺灣作家的第一本新詩詩集《亂都之戀》（1925），又發表多篇評論，企圖改革臺灣傳統古文學，積極向臺灣引介魯迅、郭沫若、冰心、鄭振鐸等作家的作品，對中國新文學的理論與創作在臺灣的發展，影響甚大。

1997年，新北市政府「爲鄉里人傑塑像」，在其母校「板橋國

6 聊齋：書名，原稱《聊齋志異》，簡稱《聊齋》。大部分為清代文人蒲松齡所撰，一小部分出自他人之手。分為八卷或十六卷，共四百三十一篇。聊齋為蒲松齡的書房，志異是記錄怪異的事情，主要是藉鬼狐抒發對現實政治、社會的不滿。描寫委婉，文筆精鍊，為著名的短篇小說集。

7 獰：音ㄋㄥˊ，凶惡，凶暴。

8 虛無飄渺：又作「虛無縹渺」，形容虛幻渺茫，不可捉摸。縹，音ㄆㄧㄠˇ。

小」立張我軍石像，表彰他對臺灣新文學運動的貢獻。1975年，林海音邀請張我軍次子張光直主編《張我軍詩文集》（純文學出版社）。1989年，《張我軍詩文集》增訂並改名《張我軍文集》。張我軍生前的譯作，則有楊紅英編的《張我軍譯文集》（海峽出版社），於2011年出版。

▶題解

〈怕鬼〉出自《張我軍全集》的散文〈病房雜記〉。張我軍在醫院看見病人垂死掙扎後，受到震撼進而一一探索了生死問題：人生與死、死後的世界是怎樣？人爲什麼生？又何以會死？他體認到人的生、死，是自然的規律，同時闡述鬼之所以可怕，也許是人們受到教育、風俗、價値觀的影響，所形成的怕鬼心態。

▶心智圖解讀：怕鬼

人爲什麼生？又爲什麼會死？生命的新生與消亡，是最神祕的問題，也是人人都在探索的問題。有人遭遇不幸，就希望自己沒被生下來；有人不斷地問「人死後究竟會到哪裡」；更有秦始皇一類的人，竭盡全力好讓自己延長生命；有人則痛心另一個人爲何那麼早死……。張我軍將他在病房中的所見所聞，包括人生與死、人死後的問題、鬼神問題等，一一探索，寫成了散文〈病房雜記〉。

到了一個地方，人不免會因爲這地方的環境，而有一些特別的想法。故事是從二十三號病室開始的，它正對著廁所，而作者妻子的病房就在隔鄰——二十四號病室。在本文的前一篇〈死過人沒有〉，提到護士來試病人體溫，躺在病床上的病人第一句就是問她：「這屋子死過人沒有？」這些對話令作者想到，「人死了變成鬼，這個觀念，

▶心智圖

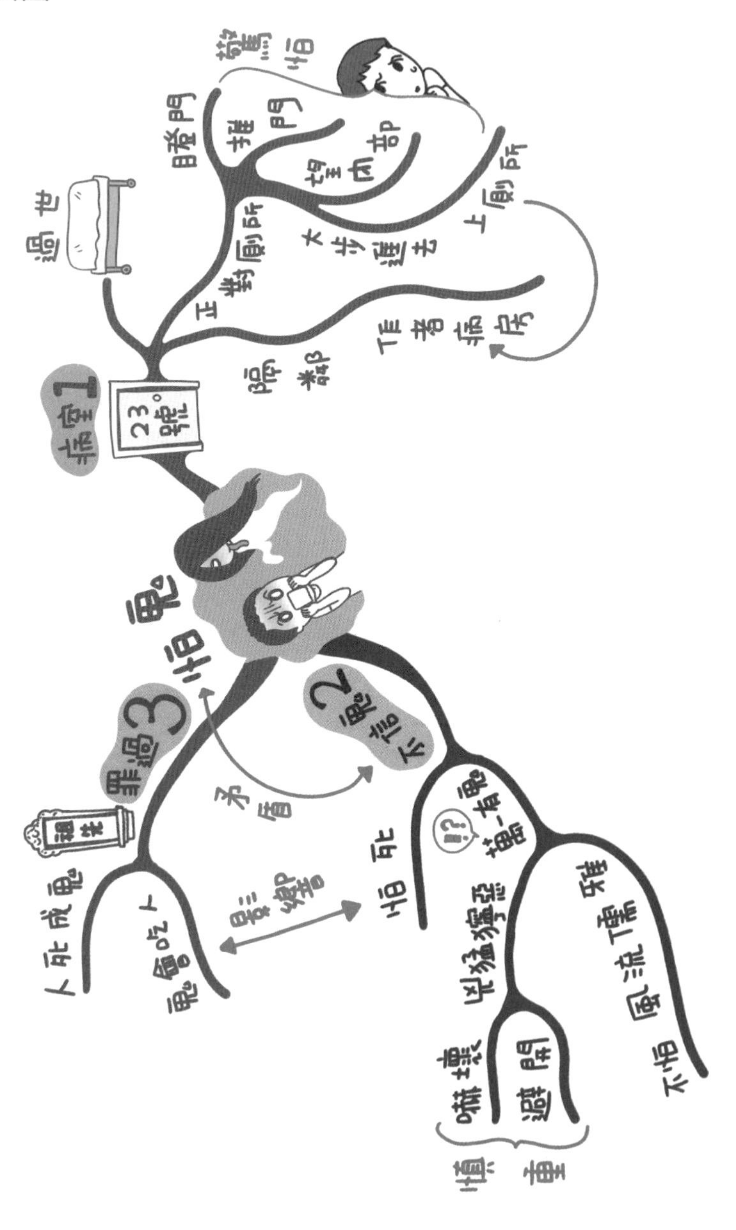

怕鬼
病室1
23號
過世
正對廁所
隔鄰
作者病房
上廁所
大步進去
瞪門
推門
望內部
驚怕
罪過3
不信鬼2
矛盾
影響
怕死
萬一有鬼
人死成鬼
鬼會吃人
兇猛獰惡
風流瀟灑
不怕
嚇壞
避開

可以說是起源於所謂野蠻蒙昧的原始時代，一直到所謂科學昌明的時代，還盤據於人類精神之一隅的怪物」，並且「然而這怪物，居然被人類當作可怕在事物之尤者，想來人類也夠可笑的了」。這時候，「怕鬼」的念頭在作者心中就像個笑話，不值一提。

一直到某天，作者忽然得知隔壁的二十三號病室的病人死了，毫無預警，令作者十分愕然，於是在〈人生與死〉一篇中提到，這個從沒見過的芳鄰之死，竟讓他想了幾天幾夜。怕鬼的念頭悄悄浮上心頭，他便在本文「怕鬼」中，以極爲生動的筆法，詳細地描述經過二十三號病室去上廁所時的緊張情緒。經過「芳鄰」的門時，他必須壯著膽子「瞪一瞪那個門，然後使勁推開廁所的門，定睛望望內部之後，才大踏步邁進去」，回病房時也必須重複這些動作才行，細膩而生動的動作描寫，突顯了作者「怕鬼」的心理。

想一想，在醫院、在病房時，我們可曾像作者這樣，對生死的一切產生過想法？作者將他的思考投入在病房的經歷，省思生死的問題。他嘲笑自己的矛盾，明明不信鬼，卻又怕鬼，究竟爲什麼有這樣的心態？追根究柢，他將問題歸結到「祖先的罪過」。東方人一向被灌輸「人死了都變成鬼，而且都會吃人」的觀念，即使原本不信鬼的人，無形中竟也深受影響，可見傳統觀念潛移默化之深刻，也因爲這樣的影響，造成人們許多荒謬可笑的行爲。文中時而見作者自我解嘲，時而見他批評自己的矛盾，同時間接地對傳統生死觀、鬼神觀做了一番批判。

生、死、鬼、神，不論在醫學、哲學、宗教等領域，都有各自不同的見解，但共通點就是「人會生，然後會死」，人無法避免於大自然的規律。對於死亡，有的人可以想盡辦法拖延，有的人可以猜想死後的世界，但張我軍透過〈病房雜記〉告訴我們，應該投注更多心力在「生」，與其擔心死亡與鬼魂，不如更用心在自己的生活中，「把握當下」才是最重要的。

▶修辭散步

1. 動作描寫：將人物活動時的狀態、一舉一動都細膩地描寫出來。如：「走到二十三號門口時，便不由自己地瞪一瞪那個門，然後使勁推開廁所的門，定睛望望內部之後，才大踏步邁進去。辦完事要回去，也照樣使勁拉開門，站穩了瞪一瞪二十三號的門，然後大踏步邁出去，一股氣邁到我們的病室，回頭再瞪一眼才開門進房。」

2. 設問：如：「不信鬼又怎麼會怕死呢？這是不錯的，我也嗤笑我自己矛盾。」（提問）「雖然不信有鬼，若萬一真出了鬼，便該怎樣？若萬一跑出來的鬼，是個像《聊齋》所談的風流儒雅的鬼，當然是不但不必怕，而且可以談談。可是倘若是個凶惡獰猛的鬼，便難免嚇壞了。」（提問）

3. 引用：如：「人死了都變成鬼，而且都會吃人。」（引用傳統的觀念或風俗）

▶漫畫經典

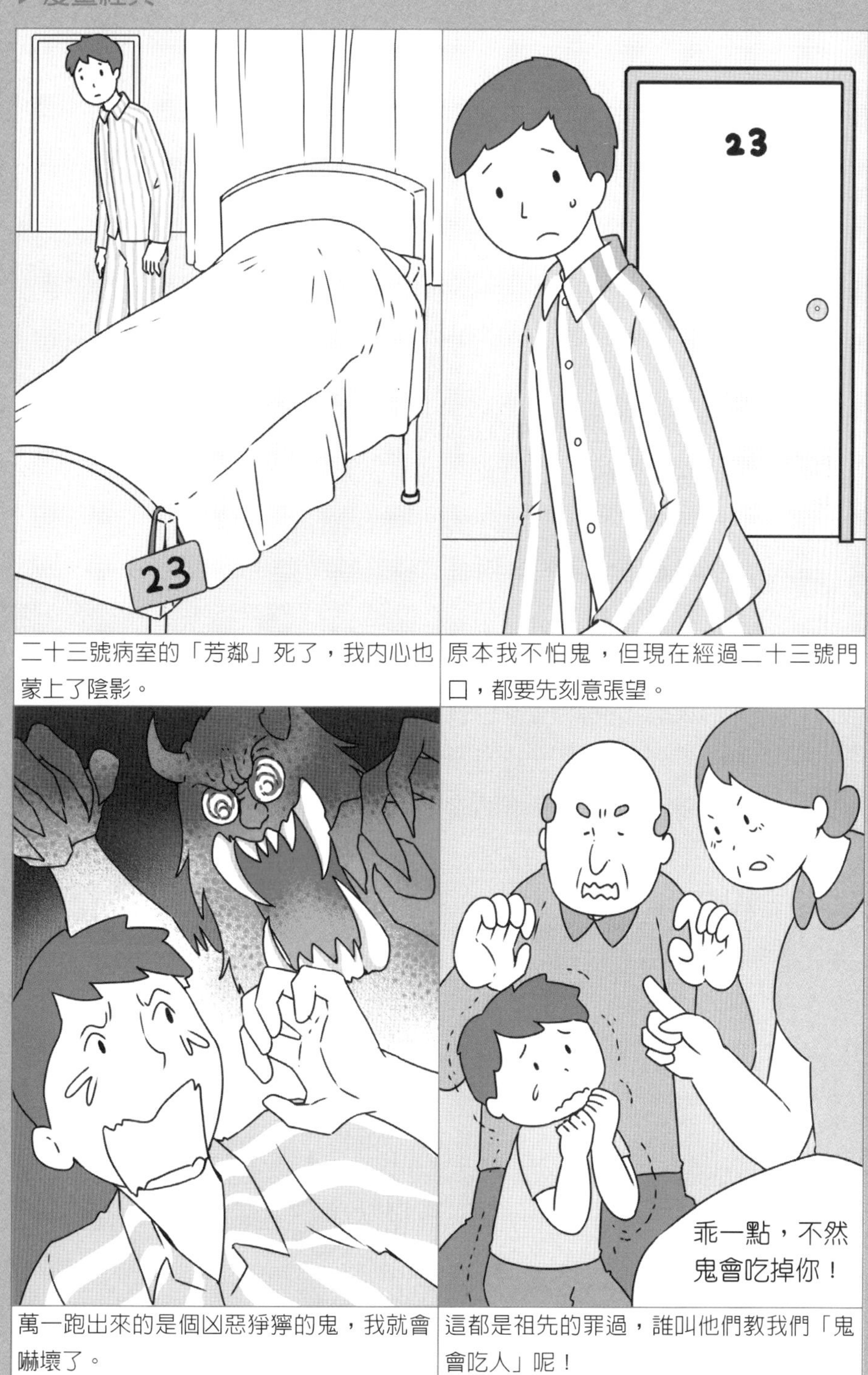
二十三號病室的「芳鄰」死了，我內心也蒙上了陰影。
原本我不怕鬼，但現在經過二十三號門口，都要先刻意張望。
萬一跑出來的是個凶惡猙獰的鬼，我就會嚇壞了。
乖一點，不然鬼會吃掉你！
這都是祖先的罪過，誰叫他們教我們「鬼會吃人」呢！

▶文學遊戲場

一、閱讀素養

（　　）1. 讀了本文，想一想作者究竟怕不怕鬼？爲什麼？

(A) 不怕，古老的觀念早已落伍了。

(B) 怕，病人的魂魄仍然在醫院裡徘徊。

(C) 不怕，科學昌明的時代已經驗證沒有鬼。

(D) 怕，傳統觀念的影響很深入人心。

（　　）2. 以下的句子所運用的修辭，何者正確？

(A) 我是不信鬼的，而且自以爲不怕鬼。（倒反）

(B) 辦完事要回去，也照樣使勁拉開門，站穩了瞪一瞪二十三號的門，然後大踏步邁出去，一股氣邁到我們的病室，回頭再瞪一眼才開門進房。（動作描寫）

(C) 這都是我們祖先的罪過。（誇飾）

(D) 倘若是個凶惡獰猛的鬼，便難免嚇壞了。（暗喻）

二、向大師學寫作

作文說明：

每個人都會遇到緊張的時刻，在不同狀況下，可能因爲陌生、膽量、不熟悉，而感到分外緊張。緊張不盡然是負面的感受，有時也會成爲一種提醒和動力。請以「最緊張的一刻」爲題，回憶自己最緊張的一次經驗，同時描述當時的感受。

作文提示：

審題：題目的重點是要描述在特定的狀況下，所產生的緊張情緒，對情緒的轉折要多加描繪，運用譬喻和誇飾來形容，可使抽象的情緒變得具體。開頭：一開始用結果法，從事件的結果開始寫起，然後才在後段敘述事件的經過，可引起讀者的好奇。經過：運用心情法，以描述心情和情感的轉折、變化為主，可多多利用感官摹寫，這樣才能牽引讀者的情緒。結尾：最後用期勉法，以期望或勉勵的話語來結束文章，或是對讀者提出建議。

三、心智圖練習

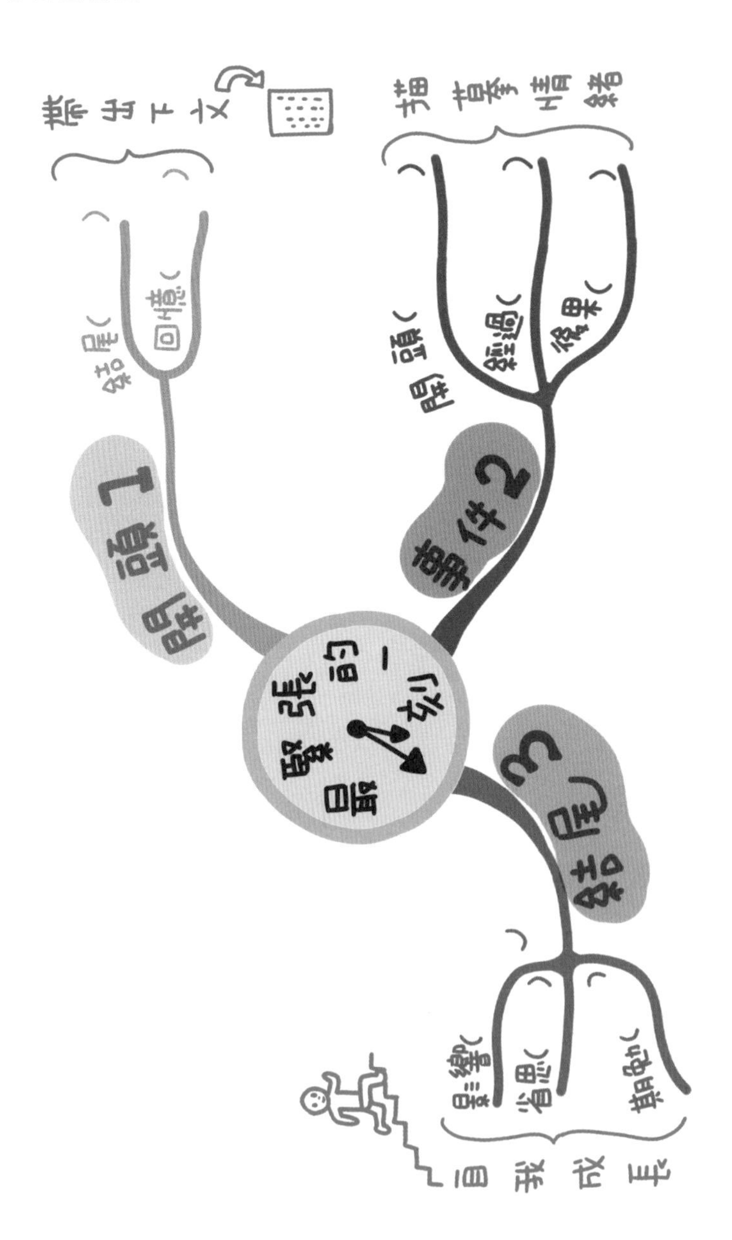

提示：可試著將這個心智圖再加以擴充，往下再細分一層。

PART 3

大自然好好玩

描寫景物

觀念大聲說

▶什麼是寫景文？

記敘文當中的寫景文，以描寫大自然的各種景物作爲文章的亮點，包括山川江河、日月星辰等靜態的景物，以及四季流轉、物換星移、萬物生長等動態的變化。

由於事件和人物的活動，都是在特定的「空間」才能進行，所以不管是哪一類的文章，都會加入「景」做陪襯，達到營造氣氛、烘托人物的作用，比如，寫人物悲傷就用烏雲蔽日，寫闔家出遊就用花海或草原。一般記敘文的段落結構，都是依照事件的發展來寫，景物的描繪被穿插其中，變成作文的主題，或起著烘托的效果。

記敘文的結構

段落	一	二	三	四
內容	點出起因	發展過程	高潮轉折	結果感想

▶描寫景物有哪些方法？

透過景物的描寫，可以體現文章所蘊含的思想感情，使讀者彷彿身歷其境。但如果只是單純地描繪景物，就會像拍照，只是把景物「依樣畫葫蘆」地拍攝下來，缺少動人的力量，所以，我們必須用各種感官去觀察景物的特點，運用細膩的描寫，才能賦予景物「靈魂」。

以下將描寫景物的方法，分爲主次分明、由物到景、塗抹色彩、注入感情、景景相連、動靜交織、情景交融等七種：

1.主次分明

一部影片當中，主角是影片的重點，作文也是，要在主要的段落中，先描繪文章的「主要景色」，接著用「次要景色」來襯托，就可以讓景物的層次分明。比如主要描寫摩天大樓，就用旁邊比較低矮的公寓，來烘托摩天大樓的雄偉。

2.由物到景

「景」是「物」的擴大，所以要在文章勾勒出景中的物，就要透過每個物的位置及排列，串成一幅景致的圖像，就像電影的底片是一格一格的，播出時就串成連續的影像。例如透過對好幾棵樹木的細節描繪和對遠方的山的描寫，花朵的點綴，便構成了一幅陽明山的風景。

3.塗抹色彩

大自然的景致是多姿多彩的，所以描寫景物時，用字不應太過簡單樸素，而是要多多運用色彩的比喻與形容詞。比如范仲淹的詞〈蘇幕遮〉：「碧雲天，黃葉地，秋色連波，波上寒煙翠。」在文字中塗抹色彩，書寫的景物才能豐富而不落俗套。

4.投注感情

「寫景」就和「狀物」一樣，也能託物言志，在文章藉著景物來寄託作者的感情，寫出人們內在的心境和感受，引起讀者共鳴，使情景交融。例如劉長卿的〈送靈澈上人〉：「蒼蒼竹林寺，杳杳鐘聲晚。荷笠帶夕陽，青山獨歸遠。」透過竹林寺周遭的青山、斜陽、人物，襯托出靈澈上人瀟灑出塵的高致，和作者的惜別之情。

5.景景相連

寫景時，如果需要轉換景色的焦點，就要按照空間的次序一一下筆，這樣，焦點的變化才會自然而疏落有致。首先，分出主要和次要的景物，再按文章的需要，對景物加以選擇、安排，主要景物細細刻畫，次要景物概括描寫，便可以表現景景相連的層次感。

6.動靜交織

描寫景物時要動、靜交織，不僅有靜態的背景色調，還要用動態來表現生命的靈動。如果只寫靜態的自然景物，容易流於單調，加入一點動態的變化，就可以使景物具有動感，例如，描寫溪水的「靜」，也不忘描寫魚兒的「動」。製造動態的方法很簡單，可以把時間拉長，描述景物的變化，也可以添加聲音、動作或自然生態，讓景物動起來。

7.情景交融

「一山一水總關情」，單純地寫景，景物會缺乏生命；如果景中有「情」，就能夠意趣盎然。雖然遊記文章的內容重在尋幽訪勝，難免會將描繪山水當作文章的焦點，但如果能夠寓情於景，加上人對自然的情感與感觸，就能賦予景物「靈魂」，展現從萬物中得到的人生哲理。

名篇選讀

1.春／朱自清

▶經典原文

盼望著，盼望著，東風來了，春天的腳步近了。

一切都像剛睡醒的樣子，欣欣然張開了眼。山朗潤[1]起來了，水漲起來了，太陽的臉紅起來了。

小草偷偷地從土裡鑽出來，嫩嫩的，綠綠的。園子裡，田野裡，瞧去，一大片一大片滿是的，坐著，躺著，打兩個滾，踢幾腳球，賽幾趟跑，捉幾回迷藏[2]。風輕悄悄的，草軟綿綿的。

桃樹、杏樹、梨樹，你不讓我，我不讓你，都開滿了花趕趟兒[3]。紅的像火，粉的像霞，白的像雪。花裡帶著甜味；閉了眼，樹上彷彿已經滿是桃兒、杏兒、梨兒。花下成千成百的蜜蜂嗡嗡地鬧著，大小的蝴蝶飛來飛去。野花遍地是：雜樣兒[4]，有名字的，沒名字的，散在草叢裡，像眼睛，像星星，還眨呀眨的。

---

1 朗潤：明朗有光澤的樣子。

2 捉迷藏：一人蒙住眼睛摸索著，捉住他身邊來回躲避的人的遊戲。

3 趕趟兒：湊熱鬧，或適逢所需的意思。

4 雜樣兒：各式各樣的。

「吹面不寒楊柳風[5]」，不錯的，像母親的手撫摸著你。風裡帶來些新鮮的泥土的氣息，混著青草味，還有各種花的香，都在微微潤濕的空氣裡醞釀。鳥兒將窠巢[6]安在繁花嫩葉當中，高興起來了，呼朋引伴地賣弄清脆的喉嚨，唱出宛轉[7]的曲子，跟輕風流水應和著。牛背上牧童的短笛，這時候也成天在嘹亮地響。

雨是最尋常的，一下就是三兩天。可別惱。看，像牛毛，像花針，像細絲，密密地斜織著，人家屋頂上全籠著一層薄煙。樹葉子卻綠得發亮，小草也青得逼你的眼。傍晚時候，上燈了，一點點黃暈的光，烘托出一片安靜而和平的夜。鄉下去，小路上，石橋邊，撐起傘慢慢走著的人，還有地裡工作的農夫，披著蓑、戴著笠[8]的。他們的草屋，稀稀疏疏地在雨裡靜默著。

天上風箏漸漸多了，地上孩子也多了。城裡鄉下，家家戶戶，老老小小，他們也趕趟兒似的，一個個都出來了。舒活舒活筋骨，抖擻抖擻[9]精神，各做各的

---

5 吹面不寒楊柳風：指春風從楊柳樹上迎面吹來也不覺寒冷。為南宋僧人僧志南的詩，全詩是：「古木陰中繫短篷，杖藜扶我過橋東。沾衣欲濕杏花雨，吹面不寒楊柳風。」

6 窠巢：鳥巢。窠，音ㄎㄜ。

7 宛轉：形容聲音悅耳動人。

8 蓑、笠：蓑，音ㄙㄨㄛ，用草或棕櫚葉做成的雨衣。笠，音ㄌㄧˋ，用竹皮或竹葉編成，可以擋雨遮陽的帽子。

9 抖擻精神：奮發、振作，有生氣。

一份事去。「一年之計在於春[10]」，剛起頭兒，有得是工夫，有得是希望。

春天像剛落地的娃娃，從頭到腳都是新的，它生長著。

春天像小姑娘，花枝招展，笑著，走著。

春天像健壯的青年，有鐵一般的胳膊[11]和腰腳，他領著我們上前去。

▶認識名家

朱自清（1898～1948年），原名朱自華，字佩弦，號秋實，浙江紹興人。北京大學畢業，曾任清華大學中文系教授、系主任，是現代散文家、詩人、學者。朱自清的散文有極高的藝術價值，風格清新細膩，真摯深刻，感人肺腑。其中藝術成就較高的是〈背影〉、〈荷塘月色〉、〈綠〉、〈春〉等散文，被認爲是白話美文的典範。

朱自清不僅擅長描寫，還在描寫中達到情景交融的藝術境界，寫景尤其出色，文字精雕細琢，表現駕馭文字的高超技巧，運用白話描寫景致充滿魅力。散文有《匆匆》、《春》、《歐遊雜記》、《你我》、《綠》、《背影》、《荷塘月色》、《倫敦雜記》等。詩集有《雪朝》，詩文集《蹤跡》，文藝論著《詩言志辨》、《論雅俗共賞》等。獨特的美文風格，爲中國現代散文增添了色彩。

10 一年之計在於春：勉勵人要把握時機，早做安排。南朝梁蕭繹《纂要》云：「一年之計在於春，一日之計在於晨。」

11 胳膊：音ㄍㄜ ㄅㄛˇ，肩膀以下、手腕以上的部位。

▶題解

〈春〉出自《朱自清全集》。描寫的是一個朝氣蓬勃的春天，更是朱自清心靈世界的一種寫照，由各種角度傳達作者對春天的喜愛。在這篇充滿詩意的文章中，蘊藏了作者在特定時期的思想、情感、人生，乃至人格的追求，表現作者內在深厚的傳統文化累積，和他對自由境界的嚮往。文章大量運用修辭技巧，主題明朗，語言優美。

▶解讀心智圖：春

朱自清的散文〈春〉，所描繪的景物充滿了躍動的活力與生命的靈氣，由不同的角度展現他對春天的喜愛，猶如一篇春的讚歌。

「盼望著，盼望著」，疊字使春天的來臨顯得迅急有力，彷彿是說：經歷了陰暗的冬天，光明終於降臨到了眼前，怎能按捺住歡欣鼓舞的心情？接著，作者細膩的觀察了初春的山、水和太陽，「山朗潤起來了」，形容積雪消融、嫩草新綠的清爽和滋潤。而「太陽的臉紅起來了」，則是將太陽擬人化，既表現了春陽的溫暖，更呈現太陽的活潑神韻，由粗筆勾勒出春天的輪廓，好為下文的細描預作鋪陳。

「剛睡醒的樣子，欣欣然張開了眼」，都是初春的景象，一個欣欣向榮、多姿多彩的春天，就在我們的眼前躍動。地上是大片嫩綠色的小草，田野上是盛開的桃樹、杏樹、梨樹，在花團錦簇當中，飛舞的是成群的蜜蜂與蝴蝶。晴朗的天空，吹拂著暖和的楊柳風，夾帶著土香、草香、花香的氣息，飄揚著各種鳥兒動聽的啼叫，和牧童嘹亮的笛聲，作者將大自然給詩化了。人們可以卸掉一切的壓力與負擔，投入春的世界，就像孩子接受母親的撫愛一樣溫暖。

在文章中段，用了許多文字描繪迎春的喜悅。人們在綠草如茵的地上打滾、踢球、賽跑、遊戲，盡情體驗生命的活潑與自由。作者運

▶心智圖

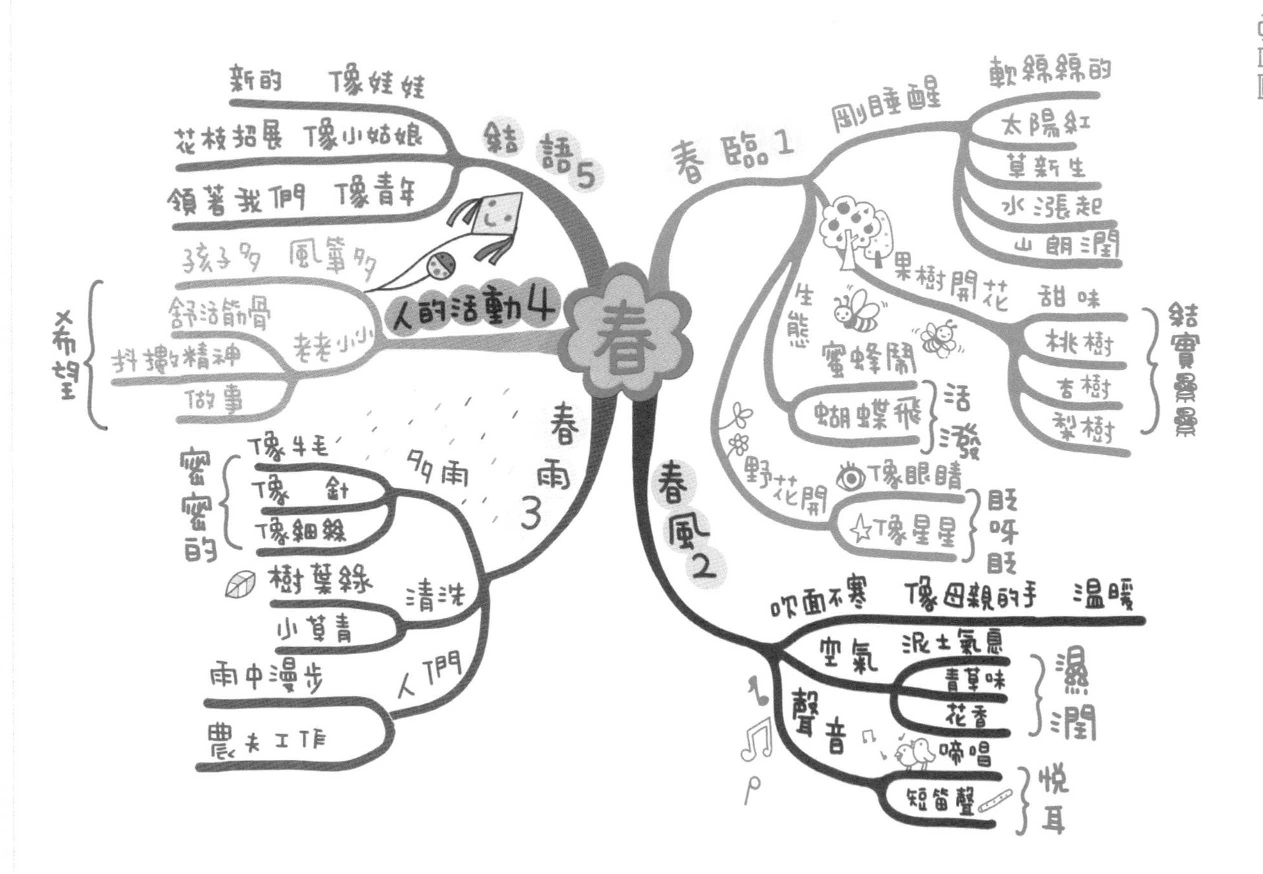

春
春臨1
剛睡醒
軟綿綿的
太陽紅
草新生
水漲起
山朗潤
果樹開花
甜味
桃樹
杏樹
梨樹
結實纍纍
生態
蜜蜂鬧
蝴蝶飛
活潑
野花開
像眼睛
像星星
眨呀眨
春風2
吹面不寒
像母親的手
溫暖
空氣
泥土氣息
青草味
花香
濕潤
聲音
啼唱
短笛聲
悅耳
春雨3
多雨
像牛毛
像針
像細絲
密密的
清洗
樹葉綠
小草青
人們
雨中漫步
農夫工作
人的活動4
孩子多
風箏多
老老小小
舒活筋骨
抖擻精神
做事
希望
結語5
新的
像娃娃
花枝招展
像小姑娘
領著我們
像青年

用了所有的感官：視覺、嗅覺、聽覺、想像、聯想，去享受大自然的美好，也體驗生命的美好。在這一片美的自然中，他深切地體驗到生命的自由、活力和燦爛，展現了赤子般的情懷和純眞的性情。

文章的後半部，歡快的調子突然轉爲舒緩而沉靜。綿綿的春雨落下了，晚景升起，那些爲了生活而行色匆匆的人們，以及辛勤工作的農夫，使得恬靜的春景，巧妙的轉換成一幅現實圖畫，我們也跟著從如夢似幻的世界回到了人間。「舒活舒活筋骨，抖擻抖擻精神，各做各的一份兒事去」、「一年之計在於春，剛起頭兒，有得是工夫，有得是希望」，作者書寫的，除了是那群忙碌奔波的人，更是在寫自己的心境和希望。

最後的結尾令人意想不到，運用三個比喻：新生的娃娃、美麗的姑娘、健壯的青年，來形容春天，讓文章原本舒緩、沉靜的調子，又轉爲剛健、清新，充滿希望，與開頭營造出來的明朗氛圍互相呼應，文章更爲圓滿。於是，春天的「新、美、力」，彷彿注入了讀者的內心，我們跟著文字融入春天，在春天的引領下邁步向前，獲得了新生。

描寫細膩，富於情致，是這篇文章的特點。以「盼春」作爲開端，「迎春」出現在中間熱鬧的場景，末尾的「隨春」，則反映作者對自由境界的嚮往，這與徐志摩的散文〈翡冷翠山居閒話〉在思想上有異曲同工之妙。朱自清用心靈感受春天，將情感傾注其中，透過比喻、擬人等藝術手法，使景物變得鮮活生動，形象逼眞，於樸實清新中留有雋永的韻味。

▶修辭散步

1. 類疊：是將同一個字、詞、句子重疊使用，或反覆使用同一個句子的修辭法，可增強文句氣勢、表現旋律美，有疊字、類字、疊句、類句等。如：「盼望著，盼望著」（疊句）、「嫩嫩的，綠綠的」（疊字）、「風輕悄悄的，草軟綿綿的」（疊字）、「舒活舒活筋骨，抖擻抖擻精神」（疊詞＋對仗）等。
2. 擬人：如：「春天的腳步近了」、「太陽的臉紅起來了」、「小草偷偷地從土裡鑽出來」、「像星星，還眨呀眨的」（擬人＋譬喻）、「鳥兒將窠巢安在繁花嫩葉當中，高興起來了，呼朋引伴地賣弄清脆的喉嚨」（擬人＋聽覺）等。
3. 譬喻：如：「一切都像剛睡醒的樣子，欣欣然張開了眼」、「紅的像火，粉的像霞，白的像雪」（譬喻＋排比）、「像眼睛，像星星，還眨呀眨的」（譬喻＋擬人）、「像母親的手撫慰著你」、「像牛毛，像花針，像細絲，密密地斜織著」（譬喻＋排比），及文末三行：「春天像剛落地的娃娃，……。春天像小姑娘，……。春天像健壯的青年，……」等（譬喻＋排比）。
4. 引用：如：「吹面不寒楊柳風」、「一年之際在於春」等。
5. 感官描寫：如：「風裡帶來些新鮮的泥土的氣息，混著青草味，還有各種花的香，都在微微潤濕的空氣裡醞釀。」（嗅覺）「樹葉子卻綠得發亮，小草也青得逼你的眼。」（視覺）等。

▶漫畫經典

盼望著、盼望著，東風來了，春天的腳步近了。

風裡帶來新鮮的泥土氣息，還有鳥兒啼叫，和牧笛聲應和著。

雨密密地斜織著，家家戶戶、老老少少，一個個都出來了。

春天像健壯的青年，他帶領著我們上前去。

▶文學遊戲場

一、閱讀素養

(　　) 1.〈春〉的藝術特色，以下何者為非？

(A)詩情與畫意的結合，和諧的創造情景交融的境界。

(B)運用倒裝句法，使句子讀起來像詩。

(C)在層次井然中有節奏地轉換，由明朗、沉靜又回歸明朗。

(D)語言樸實、雋永，善於提煉通俗易懂、生動形象的口語。

(　　) 2.〈春〉這篇散文，反映作者的什麼心境？

(A)眷戀美景、耽溺人生的美好。

(B)只有春天才能帶給作者一些希望。

(C)對於走向光明的未來充滿期待。

(D)間接反映作者生活的艱困與不自由。

二、向大師學寫作

作文題目：

春是一年的開始，萬物將冬天蘊藏的能量在春天付諸實現，又象徵新生與希望。人們在春天用全新的自己和滿滿的勇氣，面對未來的挑戰。請你從生活中取材，以「春天」為題，描寫春天的季節特色和對春天的感受。

作文提示：

審題：重點在描寫季節的特色，包括春天的人事物，都可當作書寫的範圍。從春天的時序來構思，春天來臨前、來臨時或暮春時分，景物都會有所不同。開頭：用時間法，從事件發生的時間（例如春天的早晨）寫起，拉開文章的序幕，使讀者容易進入情境。經過：用對比法，透過兩三個不同事物的比較，突顯各自的特點，比如說紅色的花、綠色的葉，藍天、白雲，睡懶覺的貓、活潑的孩子等鬧春景象，描述氣候、溫差等變化。結尾：使用前後呼應法，讓結尾的文意與開頭互相輝映，例如：「到了明天，又是一個春天的早晨！」再次強調春天來臨。

三、心智圖練習

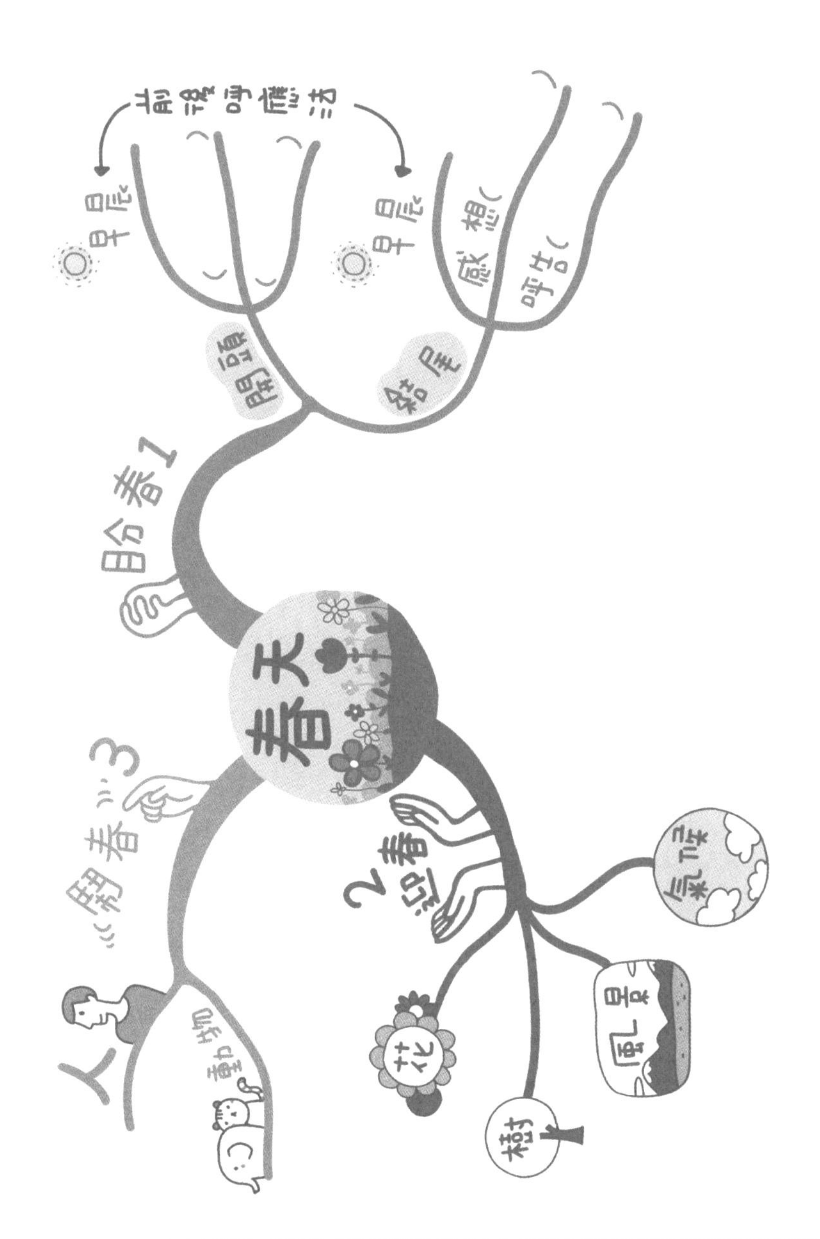

提示：以人們的活動分成盼春、迎春、鬧春三個層次。文章的開頭與結尾都是「盼春」，為前後呼應法。

名篇選讀

2. 白水漈／朱自清

▶經典原文

幾個朋友伴我遊白水漈[1]。

這也是個瀑布；但是太薄了，又太細了。有時閃著些須[2]的白光；等你定睛看去，卻又沒有——只剩一片飛煙而已。從前有所謂「霧縠[3]」，大概就是這樣了。所以如此，全由於岩石中間突然空了一段；水到那裡，無可憑依，淩虛[4]飛下，便扯得又薄又細了。當那空處，最是奇跡。白光嬗[5]爲飛煙，已是影子；有時卻連影子也不見。有時微風過來，用纖手挽著那影子，它便嫋嫋[6]的成了一個軟弧；但她的手才鬆，它又像皮帶兒似的，立刻伏伏貼貼[7]的縮回來了。我所以猜疑，或者另有雙不可知的巧手，要將這些影子織成一個幻網。——微風想奪了她的，她怎麼肯呢？

1 白水漈：位於溫州市永嘉縣甌北鎮白水村，以飛瀑的獨特形象深受遊人喜愛。漈，音ㄐㄧˋ。

2 些須：少許，一點兒。

3 霧縠：如薄霧般輕軟的細紗所製成的服裝。縠，音ㄏㄨˊ。

4 淩虛：淩駕雲霄。

5 嬗：音ㄕㄢˋ，更替，演變。

6 嫋嫋：音ㄋㄧㄠˇ ㄋㄧㄠˇ，形容輕盈柔弱。

7 伏伏貼貼：同「服服貼貼」，馴服、順從。

幻網裡也許織著誘惑；我的依戀便是個老大的證據。

▶認識名家

朱自清。參見p.93。

▶題解

〈白水漈〉出自《朱自清全集》。描寫了白水漈瀑布的細和薄，以一連串的比喻，形容凌虛而下的瀑布，透過這些美妙的形容，細膩地道出瀑布在微風中的形態，及種種吸引人之處。朱自清主張「寫實」，作家必須深入觀察，運用想像力追求創新。他曾說：「於一言一動之微，一沙一石之細，都不輕輕放過。」本文完全展現其寫作細膩的功夫。

▶心智圖解讀：白水漈

〈白水漈〉出自於朱自清散文〈溫州的蹤跡〉其中一則，文章的獨特之處，在於僅用了四百字，就將乍看覺得平凡無奇的白水漈瀑布，描述得眞切感人。文章可以分爲兩個部分來談，首先，是作者針對白水漈瀑布進行層次不同的描述，是文章的主體；其次，是作者對白水漈瀑布產生的情感和依戀。

文章在開頭先交代寫作的動機，是朱自清和朋友一起去欣賞白水漈，第二段才是文章的主要部分，全用來描述瀑布。首先抓住「水」的特色，用粗筆概括來寫：「這也是個瀑布；但是太薄了，又太細了。」意思是說，「又薄又細」是白水漈最獨特的地方，和別的瀑布不同。接著，開始細膩的以細描法描寫瀑布「薄、細」的情狀，例如

▶心智圖

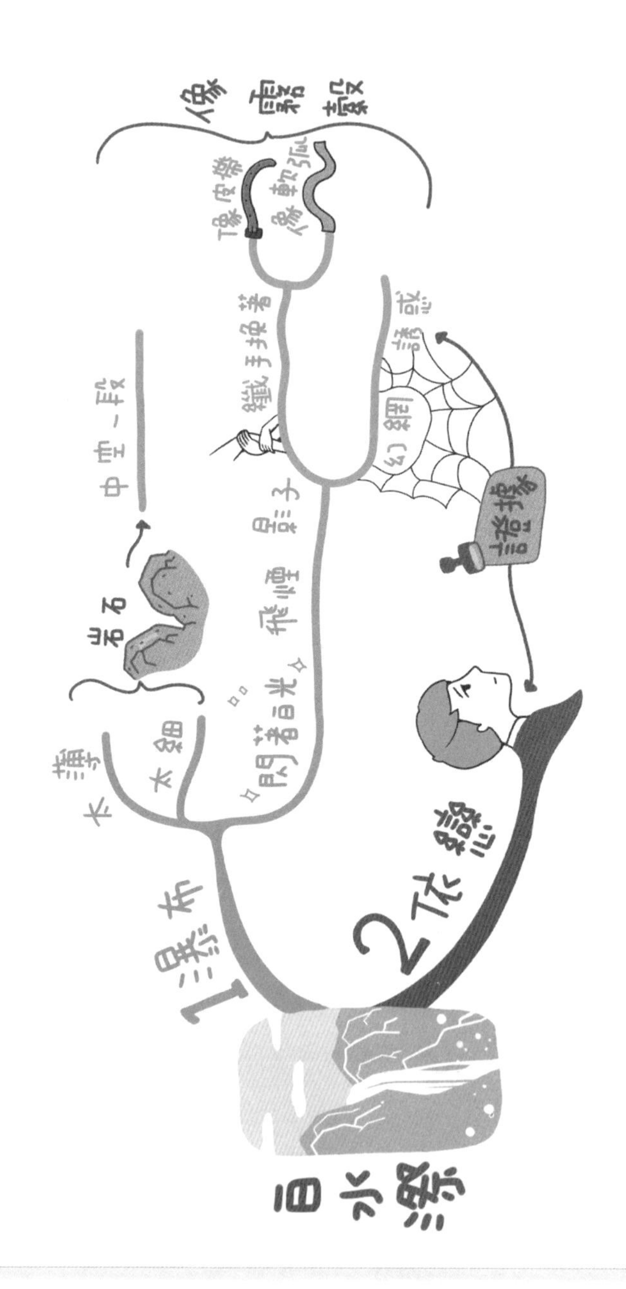

「閃著些許的白光」、「只剩下一片飛煙」、「霧縠」等，種種詞彙帶給人具體的想像。

但是作者在這時拋出了一個疑問：爲什麼白水漈的水又薄又細呢？探究原因，原來是：「全由於岩石中間突然空了一段；水到那裡，無可憑依，凌虛飛下，便扯得又薄又細了。」按照物理常識，水流會因爲岩石的形狀而改變形狀，因此造成了薄、細的奇特現象。作者描繪的技巧相當傳神，其中「凌虛飛下」一詞，恰切、空靈，妙不可言。

接著，文章又抓住了「岩石的空處」，開始描述岩石對水流的影響。當瀑布流經岩石時，中間空了一段，突然無所憑依，所以「白光嬗爲飛煙，已是影子，有時卻連影子也不見」。液態的水遇到撞擊，轉化爲水花四濺的「煙」，又轉化爲無形的「影」，有層次的寫法，將如煙似霧的水色描繪得形象鮮明，而「嬗」字的使用，同時連結了幾種水的變化，更具有煉字之妙。

然而作者走筆至此，仍然意猶未盡，他抓住了「煙」和「影」繼續以工筆細描，並且發揮想像力，將水霧、水影、水流給擬人化了：「有時微風過來，用纖手挽著那影子，它便嫋嫋地成了一個軟弧；但她的手才鬆，它又像橡皮帶兒似的，立刻伏伏帖帖地縮回來了。」水流一碰到作者的手，便會轉彎、變形，形成弧狀，這是自然的現象，作者卻能描述得極具藝術美感，語言新奇、貼切，全是精心錘鍊的口語，使讀者跟著陶醉在細膩的文字中，也耽溺在白水漈的溫柔裡頭。

朱自清筆下的瀑布奇特幻妙，我們也情不自禁地跟作者一樣，對白水漈心嚮往之，被它的美誘惑住了，也對它產生依戀。雖然這是一篇作者與朋友出遊的遊記，但我們也透過作者的文字，觀賞到白水漈之美，心靈為之悸動，這與作者細膩的觀察和深切的感悟有關。我們在欣賞文章之餘，同時也在寫作上受到了啓發：學習抓住事物的特點去寫，文字才有感動人心的力量。

▶修辭散步

1. 視覺描寫：如：「有時閃著些須的白光；等你定睛看去，卻又沒有——只剩一片飛煙而已。」
2. 轉化：有化虛擬實的轉化方式，是將抽象的事物或觀念，當成具體的人、事、物來描寫。如：「水到那裡，無可憑依，凌虛飛下，便扯得又薄又細了。」「或者另有雙不可知的巧手，要將這些影子織成一個幻網。」（以物擬物）
3. 設問：如：「微風想奪了她的，她怎麼肯呢？」（激問）

▶漫畫經典

這也是個瀑布，但是太薄了，又太細了。有時閃著些許的白光。

由於岩石中間突然空了一段，水便扯得又薄又細。

用纖手挽著那影子，他便嫋嫋地成了一個軟弧。

幻網裡也許織著誘惑；我的依戀便是個老大的證據。

▶文學遊戲場

一、閱讀素養

（　　）1. 朱自清在文中用了「嬗」字，用意爲何？

(A) 用冷僻字以標新立異。

(B) 爲了押韻的緣故而使用。

(C) 以「嬗」代替「變」，換字以求變化。

(D) 用以描述水流、水花、水影的變化。

（　　）2. 根據〈白水漈〉的內容，以下何者正確？

(A) 使瀑布又薄又細的原因，是岩石中間空了一段。

(B) 水花透過光線反射，看起來猶如一張網。

(C) 作者獨自一人前往欣賞白水漈。

(D) 水流就像皮帶一樣，充滿彈性。

二、向大師學寫作

作文題目：

登山是一種有意義的活動，可以磨練意志，也可以體現毅力。而山的雄偉壯麗、登山所付出的辛苦過程，往往使人產生對生命的體悟。從登山活動中，你可曾體會到什麼？請以「登山記遊」爲題，將你的經驗和體會書寫下來。

作文提示：

審題：遊記要寫得好，除了生動地描寫景物、細膩地描述過程以外，還要提升文章的高度，為遊記賦予較高層次的意義，從中悟出人生的道理，此行才會更有意義。開頭：使用空間法，先說明事件發生的地點、位置、空間或地理環境等，作為觸發的媒介，然後才開始敘事。經過：用聯想法，將筆墨聚焦在某個景物，與自己的情感相結合，才能情景交融。結尾：用引用法，引用相關的詩詞、格言，來說明自己登山時的體悟。

三、心智圖練習

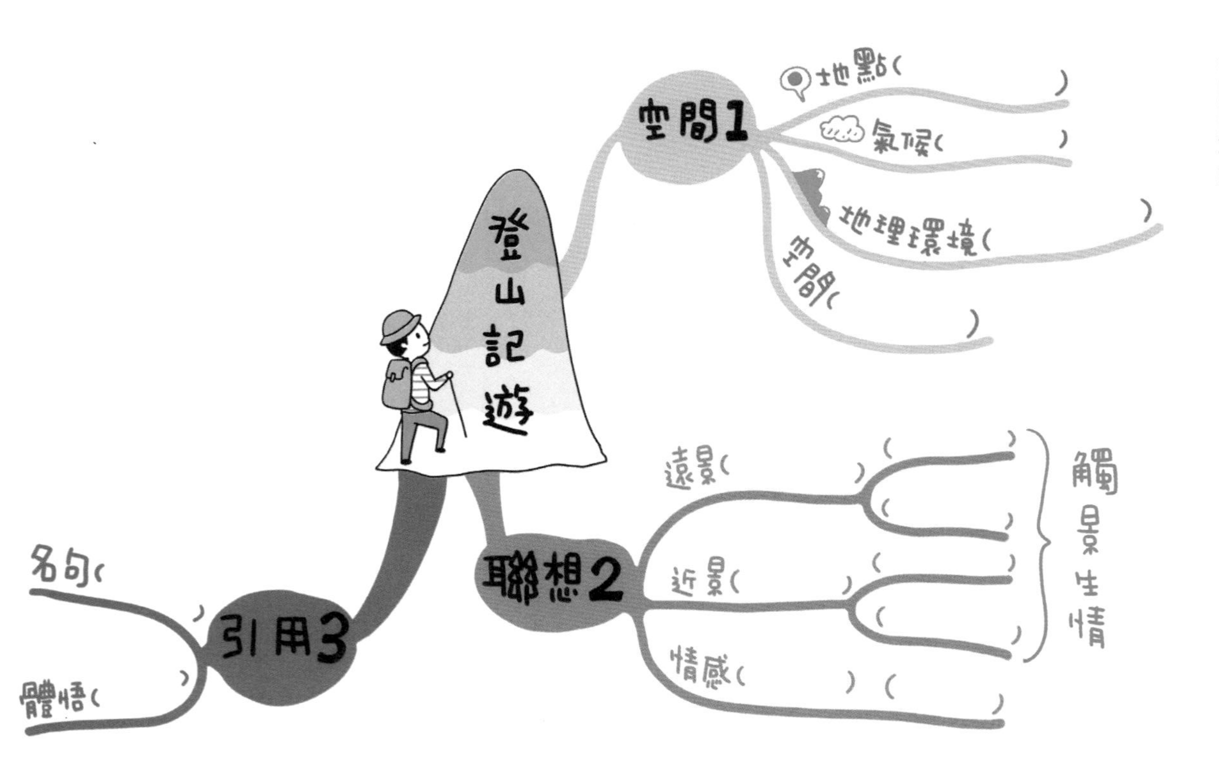

提示：以寫作技巧分成三個層次，在「聯想」細分得更多，是文章需要大量描寫的部分。

名篇選讀

3.春雨／梁遇春

▶經典原文

整天的春雨，接著是整天的春陰，這眞是世上最愉快的事情了。我向來厭惡晴朗的日子，尤其是驕陽的春天；在這個悲慘的地球上忽然來了這麼一個欣歡的氣象，簡直像無聊賴[1]的主人宴飲生客時，拿出來的那副古怪笑臉，完全顯出宇宙裡的白痴成分。在所謂大好的春光之下，人們都到公園大街或者名勝地方去招搖過市[2]，像猩猩那樣嘻嘻笑著，眞是得意忘形，弄到變成爲四不像了。可是陰霾[3]四布或者急雨滂沱[4]的時候，就是最沾沾自喜的財主也會感到苦悶，因此也略帶了一些人的氣味，不像好天氣時候那樣望著陽光，盛氣凌人地大踏步走著，頗有上帝在上，我得其所的意思。至於懂得人世哀怨的人們，黯淡的日子可說是他們惟一光榮的時光。穹蒼[5]替他們流淚，烏雲替他們皺眉，他們覺到

1 無聊賴：鬱悶，心煩。

2 招搖過市：指故意在人多的地方誇耀自己，以引人注意。

3 陰霾：形容天氣暗沉、晦暗。

4 滂沱：音ㄆㄤ ㄊㄨㄛˊ，雨勢盛大的樣子。

5 穹蒼：即「蒼穹」，上蒼，天空。穹，音ㄑㄩㄥˊ。

四圍都是同情的空氣，彷彿一個墮落的女子躺在母親懷中，看見慈母一滴滴的熱淚濺到自己的淚痕，眞是潤遍了枯萎的心田。斗室中默坐著，憶念十載相違[6]的密友，已經走去的情人，想起生平種種的坎坷[7]，一身經歷的苦楚，傾聽窗外簷前淒清的滴瀝，仰觀波濤浪湧，似無止期的雨雲，這時一切的荊棘都化做潔淨的白蓮花了，好比中古時代那班聖者被殘殺後所顯的神跡。「最難風雨故人來[8]」，陰森森的天氣使我們更感到人世溫情的可愛，替從苦雨淒風中來的朋友倒上一杯熱茶時候，我們很有放下屠刀，立地成佛子的心境。「風雨如晦，雞鳴不已[9]」，人類眞是只有從悲哀裡滾出來才能得到解脫，千錘百鍊，腰間才有這一把明晃晃的鋼刀，「今日把示君，誰爲不平事[10]」、「山雨欲來風滿樓[11]」，這很可以象徵我們孑立[12]人間，嘗盡辛酸，遠望來日大難的氣概，眞好像思鄉的客子拍著闌干，看到郭

6 相違：保持距離。此指距離很遠、久不見。

7 坎坷：音 ㄎㄢˇ ㄎㄜˇ，比喻人潦倒不得志。

8 最難風雨故人來：有朋友在風雨交加時節前來探望，最是人生快事。語出清代學者孫星衍之聯句：「莫放春秋佳日過，最難風雨故人來。」

9 風雨如晦二句：風雨交加天色昏暗的早晨，雄雞啼叫不止。出自《詩經・鄭風・風雨》：「風雨如晦，雞鳴不已。既見君子，云胡不喜。」

10 今日把示君二句：今日取劍展示予你，若是誰有不平之事，我必為其效力。唐・賈島〈劍客〉詩：「十年磨一劍，霜刃未曾試。今日把示君，誰為不平事？」

11 山雨欲來風滿樓：比喻局勢將有重大變化前夕的跡象和氣氛。唐・許渾〈咸陽城東樓〉詩：「溪雲初起日沉閣，山雨欲來風滿樓。」

12 孑立：孤身一人。孑，音 ㄐㄧㄝˊ。

外的牛羊，想起故里的田園，懷念著宿草[13]新墳裡當年的竹馬之交[14]，淚眼裡彷彿模糊辨出龍鍾[15]的父老蹣跚[16]走著，或者只瞧見幾根靠在破壁上的拐杖的影子。所謂生活術恐怕就在於怎麼樣當這麼一個臨風的征人罷。無論是風雨橫來，無論是澄江一練[17]，始終好像惦記著一個花一般的家鄉，那可說就是生平理想的結晶，蘊在心頭的詩情，也就是明哲保身的最後壁壘了；可是同時還能夠認清眼底的江山，把住自己的步驟，不管這個異地的人們是多麼殘酷，不管這個他鄉的水土是多麼不慣，卻能夠清瘦地站著，戛戛然[18]好似狂風中的老樹。能夠忍受，卻沒有麻木，能夠多情，卻不流於感傷，彷彿樓前的春雨，悄悄下著，遮住耀目的陽光，卻滋潤了百草同千花。簷前的燕子躲在巢中，對著如絲如夢的細雨呢喃，眞有點像也向我道出此中的消息。

可是春雨有時也凶猛得可以，風馳電掣，從高山傾瀉下來也似的，萬紫千紅，都付諸流水，看起來好像是煞風景的，也許是別有懷抱罷。生平性急，一二知

13 宿草：隔年的草。

14 竹馬之交：比喻幼年時的朋友。

15 龍鍾：年老體衰行動不便的樣子。

16 蹣跚：音ㄇㄢˊ ㄕㄢ，形容步伐不穩、歪歪斜斜的樣子。

17 澄江一練：形容江面如柔軟潔白的絲絹。

18 戛戛然：艱難費力的樣子。戛，音ㄐㄧㄚˊ。

交常常焦急萬分地苦口勸我，可是暗室捫心[19]，自信絕不是追逐事功的人，不過對於紛紛擾擾的勞生卻常感到厭倦，所謂性急無非是疲累的反響罷。有時我卻極有耐心，好像廢殿上的玻璃瓦，一任他風吹雨打，霜蝕日曬，總是那樣子痴痴地望著空曠的青天。我又好像能夠在沒字碑面前坐下，慢慢地去冥想這塊石板的深意，簡直是個蒲團已碎，呆然趺坐著的老僧，想趕快將世事了結，可以抽身到紫竹林中去逍遙，跟把世事撇在一邊，大隱隱於市[20]，就站在熱鬧場中來仰觀天上的白雲，這兩種心境原來是不相矛盾的。我雖然還沒有，而且絕不會跳出人海的波瀾，但是拳拳[21]之意自己也略知一二，大概擺動於焦躁與倦怠之間，總以無可奈何天[22]爲中心罷。所以我雖然愛濛濛葺葺[23]的細雨，我也愛大刀闊斧的急雨，紛至沓來[24]，洗去陽光，同時也洗去雲霧，使我們想起也許此後永無風恬日美的光陰了，也許老是一陣一陣的暴雨，將人世哀樂的蹤跡都漂到大海裡去，白浪一翻，什麼渣滓也看不出了。焦躁同倦怠的心境在

19 捫心：撫摸胸口，表示自思反省。捫，音ㄇㄣˊ。

20 大隱隱於市：真正有心隱居的人，雖處鬧市中，仍不改其心志。被濃縮為成語「大隱朝市」。

21 拳拳：眷戀的樣子。

22 無可奈何天：難以預料無法逆轉的蒼天。出自《紅樓夢》第五回仙宮房內對聯。奈何天：湯顯祖《牡丹亭》云：「良辰美景奈何天。」有迷茫、惆悵、天命不可知的意思。

23 葺葺：音ㄑㄧˋㄑㄧˋ，累積、重疊。

24 紛至沓來：形容接連不斷地到來。紛，眾多。沓，音ㄊㄚˋ，重複。

此都得到涅槃[25]的妙悟，整個世界就像客走後，撇下筵席，洗得頂乾淨，排在廚房架子上的杯盤。當個主婦的創造主看著大概也會微笑罷，覺得一天的工作總算告終了。最少我常常臆想[26]這個還了本來面目的大地。

可是最妙的境界恐怕是尺牘[27]裡面那句爛調，所謂「春雨纏綿」罷。一連下了十幾天的霉雨，好像再也不會晴了，可是時時刻刻都有晴朗的可能。有時天上現出一大片的澄藍，雨腳也慢慢收束了，忽然間又重新點滴淒清起來，那種捉摸不到，萬分彆扭的神情，真可以做這個啞謎一般的人生的象徵。記得十幾年前每當連朝春雨的時候，常常剪紙作和尚形狀，把他倒貼在水缸旁邊，意思是叫老天不要再下雨了，雖然看到院子裡雨腳下一粒一粒新生的水泡，我總覺到無限的欣歡，尤其當急急走過簷前，脖子上濺幾滴雨水的時候。可是那時我對於春雨的情趣是不知不覺之間領略到的，並沒有凝神去尋找，等到知道怎麼樣去欣賞恬適的雨聲時候，我卻老在乾燥的此地做客，單是夏天回去，看看無聊的驟

---

25 涅槃：音ㄋㄧㄝˋ ㄆㄢˊ，佛教修行者的終極理想。為梵語「nirvāṇa」的音譯。意譯為滅、滅度、寂滅，指滅切貪、瞋、痴的境界。因為所有的煩惱都已滅絕，所以永不再輪迴生死。一般也用來尊稱出家人去世。

26 臆想：幻想。臆，音一ˋ。

27 尺牘：本指古代書寫用的木簡，後借指書信。牘，音ㄉㄨˊ。

雨，過一過雨癮罷了。因此「小樓一夜聽春雨[28]」的快樂當面錯過，從我指尖上滑走了。盛年時候好夢無多，到現在彩雲已散，一片白茫茫，生活不著邊際，如墮五里霧中[29]，對於春雨的悵惘只好算做內中的一小節罷，可是彷彿這一點很可以代表我整個的悲哀情緒。但是我始終喜歡冥想春雨，也許因爲我對於自己的愁緒很有顧惜愛撫的意思；我常常把陶詩改過來，向自己說道：「衣沾不足惜，但願恨無違[30]。」我會愛凝恨也似的纏綿春雨，大概也因爲自己有這種的心境罷。

▶認識名家

梁遇春（1906～1932年），福建閩侯人。現代作家，是早逝的天才。他是20至30年代散文界的一顆明星，其筆調抒情中有理性，蘊含博識和睿智，對現代散文藝術有很大的貢獻。他於1924年進北京大學英文系深造，畢業後曾到上海暨南大學教書，翌年返回北京大學圖書館工作。1932年不幸得到急性猩紅熱病逝，死時年僅二十七歲。

梁遇春在大學時，就開始翻譯西方文學作品，兼寫散文。譯著多達二三十種，大部分是英國作品，其中以《小品文選》、《英國詩歌

---

[28] 小樓一夜聽春雨：隻身於小樓中，聽春雨淅淅瀝瀝下了一夜。出自宋陸游〈臨安春雨初霽〉：「世味年來薄似紗，誰令騎馬客京華？小樓一夜聽春雨，深巷明朝賣杏花。矮紙斜行閒作草，晴窗細乳戲分茶。素衣莫起風塵嘆，猶及清明可到家。」

[29] 如墮五里霧中：好像墜入極大的雲霧中。

[30] 衣沾不足惜，但願恨無違：作者改自〈陶潛・歸田園居之三〉：「種豆南山下，草盛豆苗稀。晨興理荒穢，帶月荷鋤歸。道狹草木長，夕露沾我衣。衣沾不足惜，但使願無違。」這裡意思是，衣服濕了不可惜，只要不違背自己的遺憾就好。恨，遺憾。

選》影響較大。散文則從1926年開始便陸續發表，絕大部分收在《春醪集》、《淚與笑》等書。散文只留下約三十七篇，獨具風格。文章多談自己所經歷的各種感情，及社會和大自然的現象；他的熱情與感傷，理性與感性、愛與恨，都在字裡行間表露無遺。

▶題解

〈春雨〉出自《淚與笑》。作者在文中歌讚春雨，無論是細雨，還是急雨，都是他喜歡與熱愛的對象。他運用對比手法，將令人愉悅的春陰、春雨與令人厭惡的驕陽對比，又從不同的角度來呈現整天的春雨。他將人的窮富與天氣的陰晴對應，筆下的春雨意象就不僅是春雨了，而有了「人生風雨」的弦外之音，是一篇寓意與詞采兼具的美文。

▶心智圖解讀：春雨

梁遇春的散文可以說是一種「青春寫作」，不僅是指作者年輕，更是指創作中特有的風格。辛棄疾說少年是「爲賦新辭強說愁」，徬徨、感傷是多數青春寫作的特色，但梁遇春散文中的悲劇感卻是與生俱來的，那種看待生命的獨特視角和對宇宙萬物的感慨，已經超出了他的年齡，可以說他的散文風格，是來自於一種骨子裡的憂傷。

下雨天對很多人來說，都不是理想的天氣，畢竟下雨會帶來諸多不便，讓人的生活步調和身心煩亂起來，因此，許多文章以「雨過天晴」之類的詞彙，表達對晴天的盼望、對雨天的心煩。但是這篇〈春雨〉，卻極力地歌頌春雨的來臨，作者說「整天的春雨，接著是整天的春陰，這眞是世上最愉快的事情了」，還說他「向來厭惡晴朗的日

▶心智圖

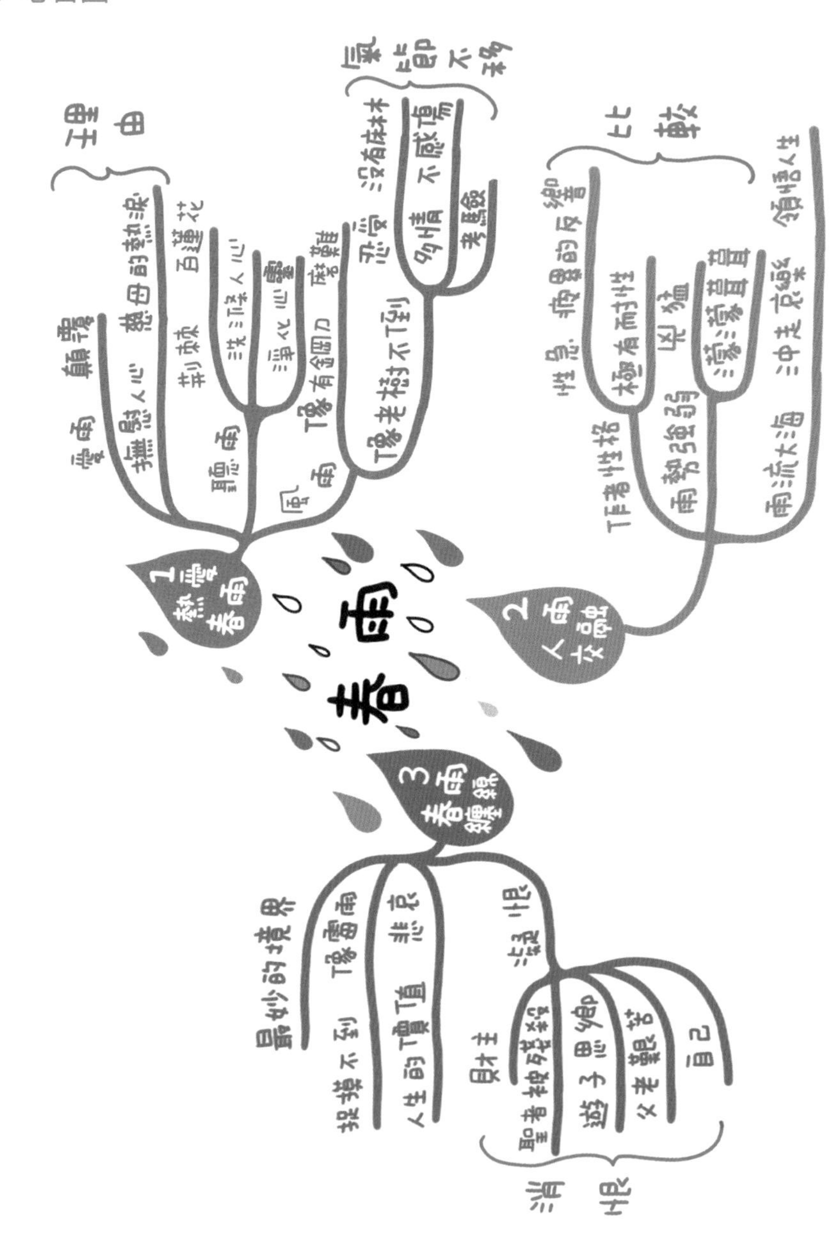
春雨
1 熱愛春雨
愛雨 顛覆
撫慰人心 慈母的熱淚
理由
聽雨
荊棘 百蓮花
洗滌人心
淨化心靈
風雨
像有鋼刀 磨難
像老樹不倒
恐受 沒有麻林
多情 不感傷
考驗
氣節不移
2 人雨交融
作者性格
性急，疲累的反響
極有耐性
雨勢強弱
兇猛
濛濛葺葺
比較
雨流大海 沖走哀樂 領悟人生
3 春雨纏綿
最妙的境界
捉摸不到 像霉雨
人生的價值 悲哀
凝恨
財主
聖者被殘殺
遊子思鄉
父老艱苦
自己
消恨

子」，顛覆了一般人對雨天的感覺，在文章開頭就令人眼睛一亮。

作者熱愛春雨，是因爲他認爲「陰霾四布或者急雨滂沱的時候」，「略帶了一些人的氣味」，所以，雨就像是「慈母一滴滴的熱淚」，「潤遍了枯萎的心田」，小雨雖柔，卻有一種撫慰人心的力量。他也認爲，雨可以洗滌人心、淨化心靈，有時在雨天「想起生平種種的坎坷，一身經歷的苦楚」，聆聽著窗外的雨聲，「一切的荊棘都化做潔淨的白蓮花了」。

他又爲春雨做出許多有趣的想像，在歷經了「風雨」的千錘百鍊後，「腰間才有這一把明晃晃的鋼刀」，鋼刀削鐵如泥，好比人在歷經悲哀與磨難後，如果能氣節不移，就能夠戰無不勝。人心的溫暖，也只有在「陰森森的天氣」才能突顯出來。也唯有風雨可以考驗人的意志，在狂風驟雨中，像一棵老樹屹立不搖，「能夠忍受，卻沒有麻木，能夠多情，卻不流於感傷」。走筆至此，春雨已不僅是春雨了，而是「人生風雨」的意思，有考驗、磨難的象徵意義。

點出雨的意象之後，文章轉爲書寫「人雨交融」，作者拿自己與春雨類比。「春雨有時也凶猛得可以」，正如作者「生平性急」，但性急其實只是「疲累的反響」。他有時「極有耐心」，就像「濛濛茸茸的細雨」。這裡用春雨剖析自己的性格，認爲「大概擺動於焦躁與倦怠之間」，所以他愛細雨，也愛急雨，由春雨代替他表達自我。雨水終究要流向大海，豈不如同「將人事哀樂的蹤跡都飄到大海裡去」？這段書寫頗具禪意，也很有頓悟人生的味道，哲思深刻。

最後一段，作者表達了自己對「春雨纏綿」的深刻感受，認爲這就是人生「最妙的境界」，像「一連下了十幾天的霉雨」，有時候忽然間晴朗，有時又開始下起雨來，讓人「捉摸不到」，彷彿「無常」

的命運，這就是「啞謎一般的人生的象徵」。他回溯自己小時候，對春雨的情趣並不留神欣賞，直到十幾年後懂得欣賞「恬適的雨聲」時，卻總是待在乾燥的地方，等不到連綿的春雨，他不禁喟嘆：「快樂當面錯過，從我指尖上滑走了。」

書寫春雨，就是書寫人生，人生彷彿春雨般「不可捉摸」，從春雨中，梁遇春感受到的是悲哀，而悲哀，正是一種人生的價值，這是只有在人世間嚐遍酸、甜、苦、辣的人，才能夠理解的滋味。文末說「我會愛凝恨也似的春雨，大概也因爲自己有這種的心境罷」，綜觀全文，可知作者「恨」的是盛氣凌人的財主、聖者被殘殺、遊子思鄉、生活艱苦的父老，以及焦躁、倦怠、悵惘的自己，於是，他把消「恨」的希望寄託在「春雨」上，作爲文章的結尾。

作者運用聯想、象徵、比喻、對比、引用等多種修辭法，從不同的角度表達自己的思想和情緒，他深愛著春雨般的人生，也愛春雨帶來的種種哀愁與喜樂，字裡行間沒有一處不是眞情。這是寫春雨的散文，更是探究人生意義、探究悲哀價值的心靈表白。

▶修辭散步

1. 對比描寫：將兩種差異很大的觀念或事物，互相比較對照，使特徵更明顯。如：「整天的春雨，接著是整天的春陰」（春雨、春陰）、「可是陰霾四布或者急雨滂沱的時候……，不像好天氣時候那樣望著陽光……」（陰、晴）、「生平性急，……。有時我卻極有耐心……」（性急、耐心）等。
2. 譬喻：如：「像猩猩那樣嘻嘻笑著」、「彷彿一個墮落的女子躺在母親懷中」、「好比中古時代那班聖者被殘殺後所顯的神跡」、「真好像思鄉的客子拍著闌干」、「戛戛然好似狂風中的老樹」、「從高山傾瀉下來也似的」等。

3. 聯想描寫：從某個和主題相關的事物，經過某種觸發，而想到另一個有關事物的心理過程，以帶出主題。如：「斗室中默坐著，憶念十載相違的密友，已經走去的情人，想起生平種種的坎坷，一身經歷的苦楚。」

4. 引用：如：「最難風雨故人來」、「風雨如晦，雞鳴不已」、「今日把示君，誰為不平事」、「山雨欲來風滿樓」、「春雨纏綿」、「小樓一夜聽春雨」等。

5. 排比：如：「能夠忍受，卻沒有麻木，能夠多情，卻不流於感傷。」

▶漫畫經典

整天的春雨，接著是整天的春陰，這真是世上最愉快的事情了。
傾聽窗外簷前淒清的滴瀝，一切的荊棘都化做潔淨的白蓮花了。
我像呆然趺坐著的老僧，將人事哀樂的蹤跡都飄到大海裡去。
我始終喜歡冥想春雨，愛凝恨也似的纏綿春雨。

▶文學遊戲場

一、閱讀素養

(　　) 1. 作者將自己與春雨比較，用意爲何？

(A) 將自己與春雨融爲一體。

(B) 這是擬人寫法，說自己就是春雨。

(C) 目的是藉著春雨剖析自己的性格。

(D) 爲了由春雨頓悟人生。

(　　) 2. 作者愛「凝恨也似的春雨」，是因爲他有什麼心境？

(A) 憤世嫉俗與悲天憫人的心境。

(B) 從磨難中體會悲哀是人生的一種價值。

(C) 把消恨的希望寄託在春雨上。

(D) 人生如啞謎般不可捉摸。

二、向大師學寫作

作文題目：

臺灣位於颱風經過的路徑上，每年的夏、秋兩季都會經歷幾個颱風，風勢、雨勢往往十分驚人，造成人員或財物的損失。想一想，你對颱風或是類似的大風大雨，有什麼特殊的觀察或感受？請以「風雨來臨時」爲題，就自己的親身經驗詳述。

作文提示：

審題：可以從時間來構思，風雨來以前、來臨時、風雨過後，各有不同的景象和故事，可從三階段分別描述。開頭：運用摹聲法，若是從學校開始寫，可描述宣布提早放學和同學們的反應，交代文章的背景、前因。經過：用寫景法配合譬喻，將風雨來襲的景象描寫出來，以各種比喻形容閃電、狂風、暴雨、街景等等，使意象更為豐富。接著描述內心的感受、恐懼、擔憂、勇氣等等。結尾：用餘韻法，透過風雨後的寧靜和行道樹的挺立不屈，體悟人生的道理。

三、心智圖練習

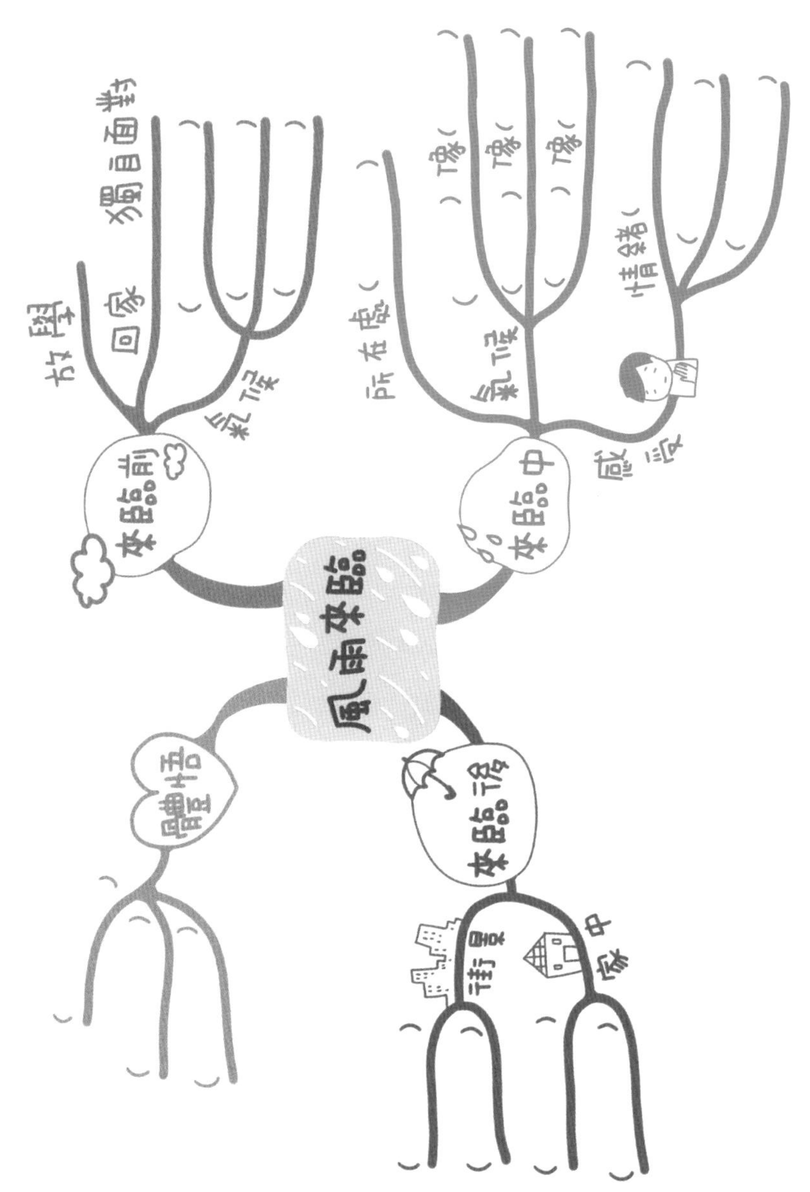

提示：文章的重點在颱風「來臨中」，支幹就必須分得更細。

PART 4

人間萬物好好玩

託物言志

觀念大聲說

▶什麼是「狀物」？

「狀」是描摹，以「物」當作寫作的主角，或是把「物」當成媒介，藉著描摹「物」的情狀來寫人或情、景。例如，唐代詩人羅隱的〈蜂〉詩：「不論平地與山尖，無限風光盡被占。採得百花成蜜後，爲誰辛苦爲誰甜？」就是藉著描寫蜜蜂來抒發自己的心情。

「物」可分成無生命的物品和有生命的動、植物，寫法是從物的性質和特徵，找出物內含的意義。但是無論我們把「物」描寫得多仔細，最後還是要回歸到「人」的情感，不能只有單純描述物體本身，這就是「心若懷情，萬物皆有情」的境界。

▶該怎麼「狀物」呢？

「狀物」在文章的作用，就是讓我們借助某樣物品，來帶出情感或回憶。物品經常讓我們聯想到某個人或事，是情感的象徵，所以我們對物產生的情感，就是書寫的重點。「物」可分爲無生命的物品，和有生命的植物、動物。「物品」無生命，著重描述帶給你的意義；「植物」著重對植物的觀察和描繪；「動物」則著重在與人的互動。

人＋動物 → 情感

寫作時，要詳細地描繪「物」的特徵，作爲觸發情感的依據。但是如果只靠將「物」描繪得栩栩如生還不夠，要加上人和事才行。

「人」是物的贈送者、買受人和擁有者，比如朋友送了禮物給你，朋友是贈送人，你就是禮物的擁有者；如果你買了一件物品，你就是物的買受人。只有將人、事、物融合在一起寫，才是文情並茂的好文章。

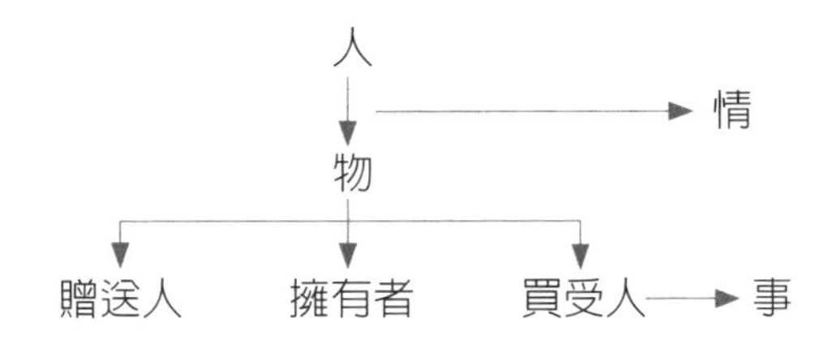

不論你的主題是哪一種「物」，都有賴於平日細膩地觀察事物，用心思考，文章的內容才會豐富。要把握幾項要領，分別是找出特徵、把握關聯、運用修辭、由外而內、物與人事：

1.找出特徵

抓住物的特徵，最有效的就是利用各種感官來描寫，以視覺寫外觀，聽覺寫聲音，嗅覺寫氣味，味覺寫味道，觸覺寫觸感。比如朱自清的散文〈荷塘月色〉描寫荷花，是寫花的姿態、迷人的清香，再用歌聲書寫對荷香的感受：

視覺＋聽覺 → 情感

2.把握關聯

除了描繪物的外表，最重要的還是形容物與人的關係。不論是靜態或動態的物，都是由「人」來購買、收受、使用、畜養與製造的，物與人如此緊密，文章就應該道出物與人的連結。比如琦君的散文〈一對金手鐲〉，就是由「金手鐲」聯繫自己對兒時同伴阿月的情感和回憶。

琦君—金手鐲—阿月

3.運用修辭

狀物時，應多多運用譬喻、誇飾、轉化等修辭，豐富我們的表達，增加讀者對物的了解。譬喻使讀者聯想到相關的物，讓想像更具體；誇飾可將物的特徵放大；轉化使我們轉換其他的角度來看物。例如余光中的詩〈珍珠項鍊〉：「每一粒，晴天的露珠／每一粒，陰天的雨珠／分手的日子，每一粒/牽掛在心頭的念珠／串成有始有終的這一條項鍊／依依地靠在你心口……」將珍珠比喻為露珠、雨珠和念珠，分別代表了與妻子分離的日子和心頭的想念。

4.由外而內

無論是描繪哪一種「物」，我們都能從它的來歷、外觀、功能，刻劃出物的內在意義，這是一種「由外而內」的寫法，同時也是觀察事物的順序，有如剝筍般層層揭露物的眞實面貌。以「我最喜歡的東西」爲例，描寫一個藍色的陶笛，每當吹奏它，就想到鄰居大哥的笑容和小時候的回憶。開頭描寫這件物品的外觀和功能，中間敘述得到它的經過和你的欣喜之情，最後說明這件物品對你的意義。

5.物與人、事

「人」獲得和使用「物」，「事」則用來說明人與物的互動，所以一篇狀物的文章，一定是人、事、物三者兼具，缺一不可，即使用擬人法寫物，也會書寫人與物的互動。以題目「我最喜歡的植物」爲例，開頭先寫你最喜歡的植物是小草，形容它的樣子；中間描述和植物之間發生的事，比如看見小草鑽出水泥牆的縫隙，奮力不懈的樣子；最後道出從小草得到的啓發。

小朋友 + 看著草 + 小草 → 啓發

名篇選讀

1.落花生／許地山

▶經典原文

我們屋後有半畝[1]隙地[2]。母親說：「讓它荒蕪[3]著怪可惜，既然你們那麼愛吃花生，就闢[4]來做花生園罷。」我們姊弟幾個都很喜歡——買種的買種，動土的動土，灌園的灌園；過不了幾個月，居然收穫了！

媽媽說：「今晚我們可以做一個收穫節，也請你們爹爹來嘗嘗我們的新花生，如何？」我們都答應了。母親把花生做成好幾樣食品，還吩咐[5]這集會要在園裡的茅亭舉行。

那晚上的天色不大好，可是爹爹也到了，實在很難得！爹爹說：「你們愛吃花生嗎？」

我們都爭著答應：「愛！」

「誰能把花生的好處說出來？」

姊姊說：「花生的氣味很美。」

---

[1] 畝：音ㄇㄨˇ，量詞，計算面積的單位。一公畝等於一百平方公尺，一市畝等於六千平方市尺。古代以縱橫五尺為方步，二百四十方步為畝。

[2] 隙地：空著的地方。

[3] 荒蕪：土地因無人管理而雜草叢生。

[4] 闢：開墾。

[5] 吩咐：音ㄈㄣ ㄈㄨˋ，叮囑，多指長輩囑告晚輩，含有命令、派遣的語氣。

哥哥說：「花生可以製油。」

我說：「無論何等人都可以用賤價[6]買它來吃；都喜歡吃它。這就是它的好處。」

爹爹說：「花生的用處固然很多，但有一樣是很可貴的。這小小的豆不像那好看的蘋果、桃子、石榴，把它們的果實懸[7]在枝上，鮮紅嫩綠的顏色，令人一望而發生羨慕的心。它只把果子埋在地下，等到成熟，才容人把它挖出來。你們偶然看見一棵花生瑟縮[8]地長在地上，不能立刻辨出它有沒有果實，必得等到你接觸它，才能知道。」

我們都說：「是的。」母親也點點頭。爹爹接下去說：「所以你們要像花生；因為它是有用的，不是偉大、好看的東西。」我說：「那麼，人要做有用的人，不要做偉大、體面的人了。」爹爹說：「這是我對於你們的希望。」

我們談到夜闌[9]才散，所有的花生食品雖然沒有了，然而父親的話現在還印在我心版[10]上。

6 賤價：低於合理的價格。

7 懸：音ㄒㄩㄢˊ，掛，繫。

8 瑟縮：音ㄙㄜˋ ㄙㄨㄛ，蜷縮、不伸展的樣子。

9 夜闌：夜深。闌，音ㄌㄢˊ。

10 心版：心田，心中。

▶認識名家

許地山（1894～1941年），名贊堃（ㄎㄨㄣ），字地山，筆名落花生（落華生），以字行，臺灣臺南人。1921年，許地山和沈雁冰、葉聖陶、鄭振鐸等十二人，在北京成立文學研究會，創辦《小說月報》。1935年出任香港大學中文系主任，進行教育改革，此後便住在香港，直至逝世。

許地山創作多以臺、閩、粵和東南亞、印度爲背景。主要有《空山靈雨》、《綴網勞蛛》、《危巢墜筒》、《道學史》、《達衷集》、《印度文學》、《命命鳥》、《解放者》等。譯有《孟加拉民間故事》、《二十夜問》、《太陽底下降》、《世界名歌一百曲集》第一冊等。演講稿有《宗教底婦女觀》、《女子底服飾》、《英雄造時勢與時勢造英雄》等。據說張愛玲就讀港大時，其散文〈更衣記〉簡述中國三百年來的婦女衣裝，普遍被認爲曾受許地山研究的影響。

▶題解

〈落花生〉出自《許地山選集》。作者許地山，以筆名爲「落華生」撰文。文章從父親談論落花生的品格中，領悟到做人應該不求虛名、默默奉獻的道理。全篇圍繞著「品格」加以發揮，將落花生的特質對應到人的品格上，敘述主次分明，所以篇幅雖然短小，卻給人鮮明的印象，使讀者也從中領悟到耐人尋味的哲理。

▶心智圖

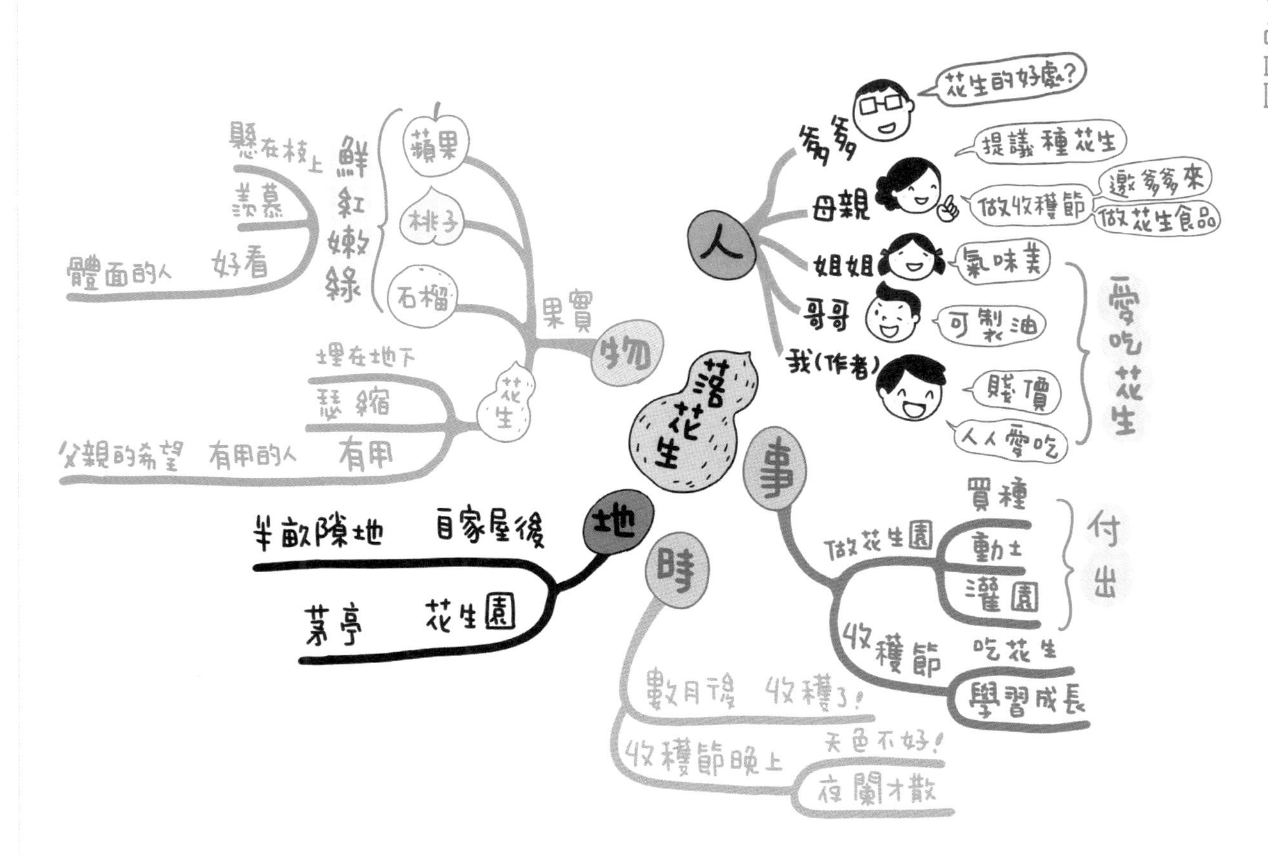

落花生
人
爸爸
花生的好處？
母親
提議種花生
做收穫節
邀爸爸來
做花生食品
姐姐
氣味美
哥哥
可製油
我（作者）
賤價
人人愛吃
愛吃花生
事
做花生園
買種
動土
灌園
付出
收穫節
吃花生
學習成長
時
數月後
收穫了！
收穫節晚上
天色不好！
夜闌才散
地
自家屋後
半畝隙地
花生園
茅亭
物
果實
蘋果
桃子
石榴
鮮紅嫩綠
懸在枝上
羨慕
好看
體面的人
花生
埋在地下
瑟縮
有用
有用的人
父親的希望

▶心智圖解讀：落花生

〈落花生〉一文，是由栽種花生、過收穫節兩部分所組成，但是文章的重點部分放在「過收穫節」的經過。那天晚上，作者的父親也來了，於是姊姊、哥哥、作者三人聽父親談花生的好處，從花生的「氣味很美」、「可以製油」、「價格便宜」等特點，進而深入地談到為人處世的領悟與學習。

解讀這篇文章，可從人、事、時、地、物來看。事件分為兩部分，一是母親主張利用屋後的「半畝隙地」做花生園，全家一起栽種。二是描述花生收成後，全家舉辦收穫節來慶祝的實況。從耕作花生的過程：買種、動土、灌園中，孩子們學會了在努力付出之後，才能品嚐收穫的果實，這是文章一開始設定的伏筆，目的是為了帶出後文：從收穫節「學習成長」的主題。

文章的人物分別是作者的父母親、姊姊、哥哥和作者，藉著人物的對話來塑造他們的形象特色、價值觀等。姊姊說：「花生的氣味很美。」是從審美的角度來欣賞花生。哥哥說：「花生可以製油。」是從實用的觀點看花生。作者說：「無論何等人都可以用賤價買它來吃，都喜歡吃它。」則點出了花生「平易近人」、「平凡卻實用」的好處。

但是作者的父親更深入地談到花生的可貴，他以好看的蘋果、桃子、石榴來和花生比較。水果鮮紅嫩綠的顏色，高調地生長在枝頭上，「令人一望而發生羨慕的心」，自然不是樸素的花生可比擬的。但是花生「只把果子埋在地下，等到成熟，才容人把它挖出來」，這種低調、樸實的特性，卻深受父親的讚賞，並且以花生為喻，教養子女，期望他們要像花生，「因為它是有用的，不是偉大、好看的東西」。在這裡，父親並非一味否定鮮豔的果實，而是強調所有事物應該追求的是更實在的本質。人究竟要做體面的人，還是做個有用的人？引發我們的深思。

在父親的循循善誘下，作者感悟到落花生的價值。花生不追求外表的華美，而重視內在的實用，它不是外表好看而對社會無用的事物，這便是文章的主旨。因此，作者下了一個註解：「那麼，人要做有用的人，不要做偉大、體面的人了。」說明了人生的道理：一個人的外表雖然長得平凡，可是心靈可以寬闊、偉大，成為人們尊敬的人。人不必刻意追求偉大，只要每分鐘做好自己，盡責任和本分，腳踏實地就可以了，這便是作者的父親對子女們的期望。

收穫節的時間，是在開始栽種花生數個月後的某個晚上，作者的母親定為「收穫節」。這天的「天色不大好」，但是作者全家人卻聊到了「夜闌」才散，表現出一家人親密交流、孩子們收穫滿滿的溫馨感覺。這天，作者不只滿足了吃花生食品的口腹之慾，聆聽父親一番深刻的教誨，也使他的心靈感到滿足，自家簡陋的後院，勝過了堂皇的屋宇，這是極其快意和盡興的一場「宴會」。

許地山的文筆風格樸素無華，用字遣詞淺白易懂，以生活化的情節帶出深刻的道理，啓發無數的讀者，一如他筆下所描述的落花生，是那麼平凡、實用，也是那麼的深刻。

▶修辭散步

1. 對話：透過人物彼此的對話來推動情節，表現人物的個性和思想。如：（爸爸說）「誰能把花生的好處說出來？」（父親教育子女）姊姊說：「花生的氣味很美。」（姊姊感性），哥哥說：「花生可以製油。」（哥哥重實用）我說：「無論何等人都可

以用賤價買它來吃；都喜歡吃它。這就是它的好處。」（作者喜歡平實的事物）

2. 譬喻：如：「你們要像花生。」

3. 擬人：如：「它只把果子埋在地底，等到成熟，才容人把它挖出來。」

4. 對比：如：「這小小的豆不像那好看的蘋果、桃子、石榴，把它們的果實懸在枝上，鮮紅嫩綠的顏色，讓人一望而發生羨慕的心。它只把果子埋在地底，等到成熟，才容人把它挖出來」（鮮豔的蘋果、桃子、石榴，對照平實低調的花生）。

5. 排比：如：「所以你們要像花生；因為它是有用的，不是偉大、好看的東西」和「那麼，人要做有用的人，不要做偉大、體面的人了。」

我們屋後有半畝隙地，母親說：「就闢來做花生園罷。」

爸爸說：「誰能把花生的好處說出來？」

花生有一樣是很可貴的，它只把果子埋在地下等人挖出來。

爸爸說：「所以你們要像花生，因為它是有用的。」

▶文學遊戲場

一、閱讀素養

（　　）1.〈落花生〉作者的父親以蘋果、桃子、石榴和花生比較，用意為何？
(A)突顯花生的不起眼。
(B)強調蘋果、桃子、石榴的鮮豔奪目。
(C)形容花生的滋味比蘋果、桃子、石榴可口許多。
(D)比喻眞正有內涵的人，是低調而樸實的。

（　　）2.許地山的父親對子女有什麼期望？
(A)為人要腳踏實地而令人尊敬。
(B)要做大事，不要做大官。
(C)望子成龍，望女成鳳。
(D)十年寒窗無人問，一舉成名天下知。

二、向大師學寫作

作文題目：

　　植物能美化環境，栽花則能培養生活情趣，臺灣得天獨厚，擁有溫暖的氣候與多變的地貌，能夠孕育出各式各樣的植物。在這麼多種花草當中，你最喜歡哪種植物？請以「我最喜歡的植物」為題，描寫、敘述喜愛它的原因和想法。

作文提示：

審題：除了描寫植物的外觀，還要寫出欣賞植物時的感受及影響。如果能點出植物的作用，比喻自己，就能成功地帶出自己的心路歷程。開頭：是用問答法，先用問句勾起讀者的好奇，顛覆一般以花或鳥來迎春的思考，將這個植物當作春天的使者。經過：用了特寫法，對這個植物的顏色、特性及在風雨中的模樣，細膩地描繪出來，並從植物的身上啓發頓悟。結尾：運用讚美法，呼應第一段，強調自己最喜歡的是這種植物，以擬人化寫法讚美它，鼓舞自己。

三、心智圖練習

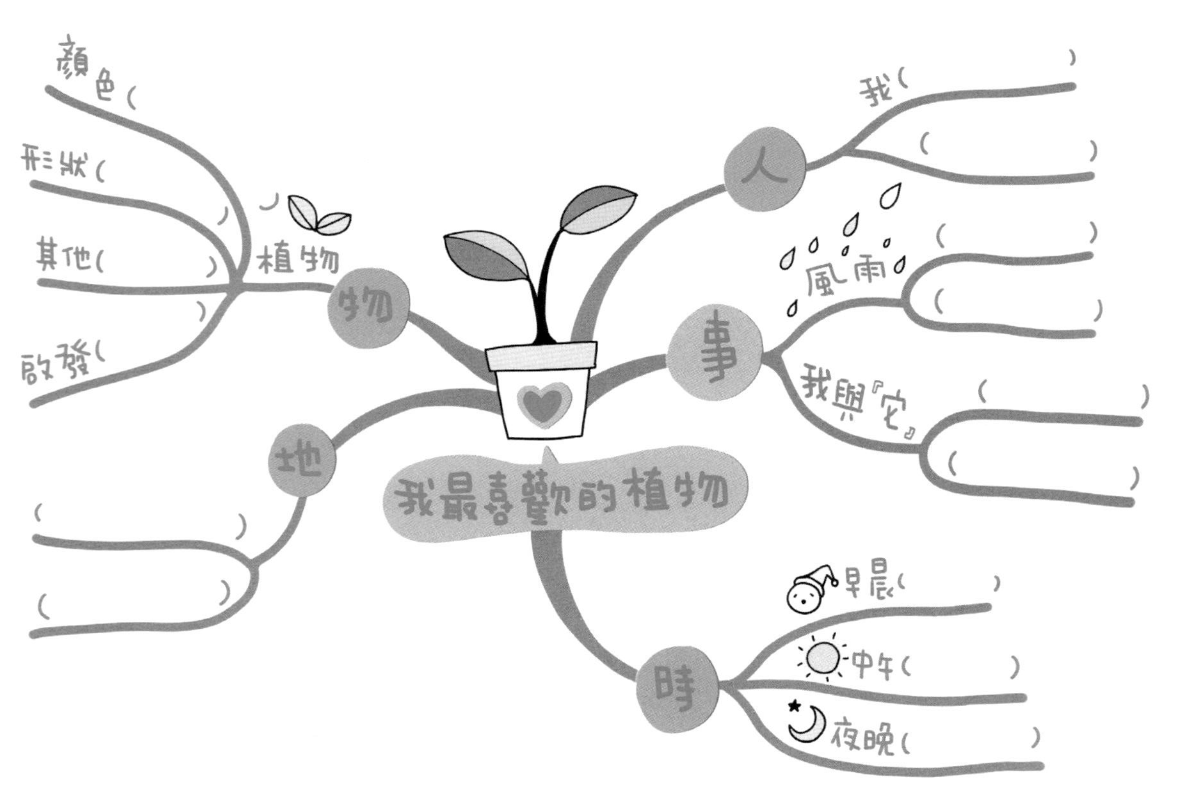

提示：從人、事、時、地、物五個方向來構思內容，完成後，再組織成一篇文章。

名篇選讀

2.鋼鐵假山／夏丏尊

▶經典原文

案頭[1]有一座鋼鐵的假山，得之不費一錢，可是在我室內的器物裡面，要算是最有重要意味的東西。

它的成爲假山，原由於我的利用，本身只是一塊粗糙的鋼鐵片，非但不是什麼「吉金樂石」，說出來一定會叫人髮指[2]，是一二八之役[3]日人所擲的炸彈的裂塊。

這已是三年前的事了。日軍才退出，我到江灣立達學園去視察被害的實況，在滿目悽愴[4]的環境中徘徊[5]了幾小時，歸途拾得這片鋼鐵回來。這種鋼鐵片，據說就是炸彈的裂塊，有大有小，那時在立達學園附近觸目皆是。我所拾的只是小小的一塊，闊約六寸，高約三寸，厚約二寸，重約一斤。一面還大體保存著圓筒式的弧形，從弧線的圓度推測，原來的直徑應有一尺光景，不

1 案頭：桌上。

2 髮指：頭髮上指，形容盛怒的樣子。

3 一二八之役：日本稱上海事變或第一次上海事變。1932年初，日本帝國主義製造「一二八」事變，發動侵略中國上海之戰爭，這是中華民族反對日本侵略的自衛戰爭。

4 悽愴：音ㄑㄧ ㄔㄨㄤˋ，淒涼悲傷。

5 徘徊：音ㄆㄞˊ ㄏㄨㄞˊ，來回走動。

知是多少磅[6]重的炸彈了。另一面是破裂面，削凹凸，有些部分像峭壁，有些部分像危岩，鋒棱[7]銳利得同刀口一樣。

江灣一帶曾因戰事炸毀過許多房子，炸殺過許多人。僅就立達學園一處說，校舍被毀的過半數。那次我去時，瓦礫場上還見到未被收殮[8]的死屍。這小小的一塊炸彈裂片，當然參與過殘暴的工作，和劊子手所用的刀一樣，有著血腥氣的。論到證據的性質，這確是「鐵證」了。

我把這鐵證放在案頭上作種種的聯想，因爲鋒棱又銳利擺不平穩，每一轉動，桌上就起磨損的痕跡。最初就想配了架子當作假山來擺。繼而覺得把慘痛的歷史的證物，變裝爲古董性的東西，是不應該的。古代傳下來的古董品中，有許多原是歷史的遺跡，可是一經穿上了古董的衣服，就減少了歷史的刺激性，只當作古董品被人玩耍了。

這塊粗糙的鋼鐵，不久就被我從案頭收起，藏在別處，憶起時才取出來看。新近搬家整理物件時，被家人棄置在雜屑簍裡，找尋了許久才發現。爲永久保藏起

6 磅：量詞，英美計算重量的單位，為英語pound的音譯。常衡一磅等於零點四五三六公斤，金屬衡一磅合零點三七三二公斤。

7 鋒棱：指器物的尖銳部分。稜，音ㄌㄥˊ。

8 收殮：把屍體裝到棺材裡去。殮，音ㄌㄧㄢˋ。

見，頗費過些思量。擺在案頭吧，不平穩，而且要擦傷桌面。藏在衣箱裡吧，防鐵鏽沾惹壞衣服，並且拿取也不便。想來想去，還是去配了架子當作假山來擺在案頭好。於是就託人到城隍廟一帶紅木鋪去配架子。

現在，這塊鋼鐵片已安放在小小的紅木架上，當作假山擺在我的案頭了。時間經過三年之久，全體蓋滿了黃褐色的鐵鏽，凹入處鏽得更濃。碎裂的整塊的，像沈石田[9]的峭壁，細雜的一部分像黃子久[10]的皴法[11]，峰岡起伏的輪廓有些像倪雲林[12]。客人初見到這座假山，都稱讚它有畫意，問我從什麼地方獲得。家裡的人對它也重視起來，不會再投入雜屑簍裡去了。

這塊鋼鐵片現在總算已得到了一個處置和保存的方法了，可是同時卻不幸地著上了一件古董的衣裳。爲減

9 沈石田：沈周（1427～1509年），字啓南，號石田、白石翁、玉田生、有竹居主人等，長洲（今江蘇蘇州）人。明代書畫家，享年八十二歲（虛八十三歲）。不應科舉，專事詩文、書畫，是明代中期文人畫「吳派」的開創者，與文徵明、唐寅、仇英並稱「明四家」。

10 黃子久：黃公望（1269～1354年），元代畫家。本姓陸，名堅，江浙行省常熟縣人。改姓黃，名公望，字子久，號一峰、大癡道人。擅畫山水，師法董源、巨然，兼修李成法，得趙孟頫指授。所作水墨畫筆力老到，簡淡深厚。又於水墨上略施淡赭，世稱「淺絳山水」。晚年以草籀筆意入畫，氣韻雄秀蒼茫，與吳鎮、倪瓚、王蒙合稱「元四家」。

11 皴法：皴，ㄘㄨㄣ。國畫山水樹石中，表現凹凸陰陽之感及線條、紋理、形態等的筆法。如披麻皴、荷葉皴、褶帶皴、解索皴、捲雲皴等。

12 倪雲林：初名珽，字泰宇，後字元鎮，號雲林子、荊蠻民、幻霞子等，江蘇無錫人。元代畫家、詩人。家富，博學好古，四方名士常至其門。元順帝至正初忽散盡家財，浪跡太湖。擅畫山水、墨竹，師法董源，受趙孟頫影響。早年畫風清潤，晚年變法，平淡天真。以側鋒幹筆作皴，名為「折帶皴」。墨竹偃仰有姿，寥寥數筆，逸氣橫生。書法從隸入，有晉人風度，亦擅詩文。與黃公望、王蒙、吳鎮合稱「元四家」。

少古董性顯出歷史性起見，我想寫些文字上去，使它在人的眼中不僅是富有畫意的假山。

寫些什麼文字呢？詩歌或銘[13]嗎？我不願在這嚴重的史蹟上弄輕薄[14]的文字遊戲，寧願老老實實地寫幾句記實的話。用什麼來寫呢？墨色在鐵上是顯不出的，照理該用血來寫，必不得已，就用血色的朱漆吧。今天已是二十四年的一月十日了，再過十八日，就是今年的「一二八」。我打算在「一二八」那天來寫。

▶認識名家

夏丏尊（1886～1946年），本名夏鑄，字勉旃（ㄓㄢ），號悶庵，浙江上虞人。他是文學家，更是有理想、有抱負的教育家，一生以從事教育爲志向。曾翻譯義大利人亞米契斯的名著《愛的教育》（*The Heart of a Boy*）[15]，是世界公認最富愛心和教育性的讀物。他在譯者序中說：「教育沒有了情愛，就成了無水的池，任你四方形也罷，圓形也罷，總逃不了一個空虛。」認爲任何教育的出發點，都應該是爲了「愛」。

夏丏尊的散文以白描爲主，看似沒什麼精妙的技巧，其實他把「技巧」巧妙地隱藏在平實的文字中，字裡行間處處能見到溫暖的人間情懷，給人淳樸之情和充實的力量。風格被稱爲「白馬湖派」。作

---

13 銘：文體名，刻在器物或石碑上，警惕自己或讚頌他人的文字。

14 輕薄：對人不尊重、不禮貌。

15 愛的教育：作者義人亞米契斯（Edmondo de Amicis），藉一個小男孩的眼光，記錄學校生活的點滴，傳達可貴的教育理念。

品有《平屋雜文》、《文章作法》、《現代世界文學大綱》、《閱讀與寫作》、《夏尊選集》、《夏尊文集》，譯有《愛的教育》、《近代日本小說集》等書。

▶題解

〈鋼鐵假山〉出自《平屋雜文》。作者從一塊炸彈的裂塊觸發，想到了1932年的「一二八」之役。在日軍侵略後，作者到江灣立達學園視察被戰火破壞的實況，在滿目瘡痍的環境中，拾了一塊山巒狀的鋼鐵塊回家，這就是日軍投下的炸彈的碎片，是慘痛歷史的證物。他把它命名爲「鋼鐵假山」，並將自己對這段歷史的感慨與哀悼，寄託在文章中。

▶心智圖解讀：鋼鐵假山

夏丏尊這篇文章的背景，是發生於一九三二年的「一二八事變」，該年一月二十八日日本悍然出兵侵略上海，上海軍民紛紛奮起反抗。「一二八」事變在當時的爆發有著深刻政治背景，在「九一八事變」東北淪陷後，中國排日運動日盛，而日人進一步覬覦中國最大的經濟重心上海，因而藉故挑起戰端，造成中、日軍民嚴重傷亡。

初讀〈鋼鐵假山〉，不免會給人這樣一個印象：作者頗具閒情逸致，在戰火紛起、人民流離失所的時代，竟然有心思從廢墟中撿取「一二八」炮火中日本侵略的炮彈碎塊，不但如此，還將它當成一座假山，放置桌上，當作古董來欣賞，豈不是將戰爭的傷痕當休閒？其實，這正是文章故意設定的否定線索。

文章一開頭，作者以這個假山「得之不費一錢，可是在我室內的器物裡面，要算是最有重要意味的東西」，帶出假山的鋼鐵，原是

▶心智圖

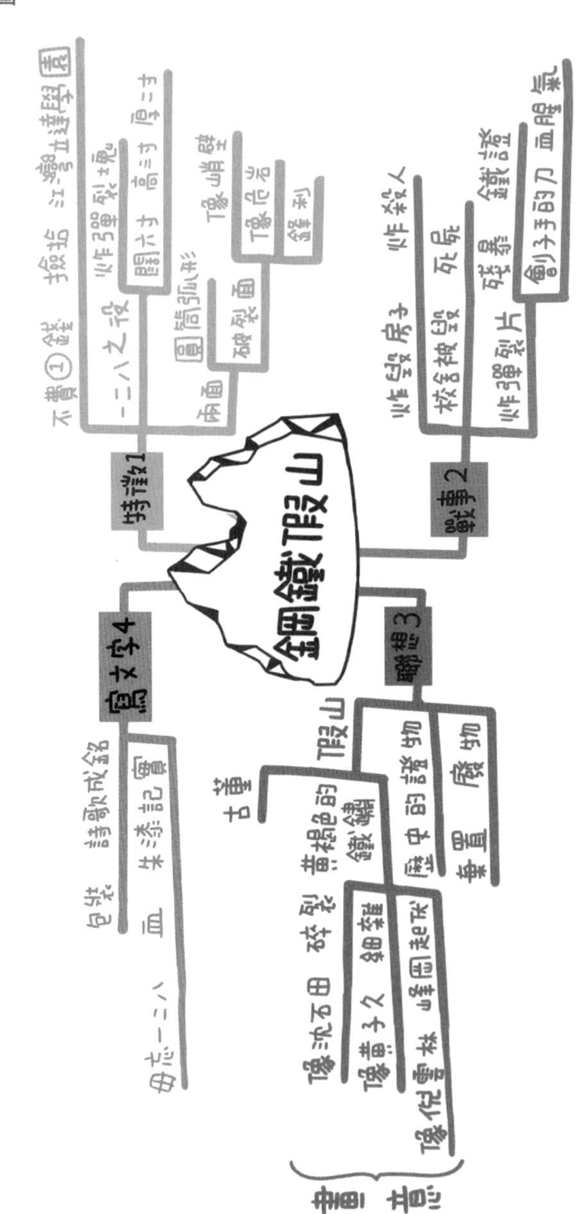

鋼鐵假山
特徵1
不費①錢
撿拾
一二八之役
炸彈裂塊
闊六寸
高三寸
厚二寸
兩面
圓筒弧形
破裂面
像峭壁
像危岩
鋒利
戰事2
炸毀房子
炸殺人
校舍被毀
死屍
炸彈裂片
殘暴
鐵證
劊子手的刀
血腥氣
聯想3
假山
古董
蕭條的鐵鏽
歷史的證物
廢物
像沈石田
碎裂
像黃子久
細雜
像倪雲林
峰回起伏
畫意
寫文字4
包裝
詩歌成銘
朱漆記實
血
毋忘一二八

「一二八」之役日人所擲炸彈的碎片，而後隨即透過倒敘的方式，將時間帶回三年前戰役剛剛過後。這片碎片，是作者在被摧殘後的江灣立達學園中所拾獲。所拾的「小小的一塊」，對照文中所言「多少磅重的炸彈」，正有以小喻大、不可抹滅的「鐵證」之意。作者將它撿回，放在案頭上把玩，自然有睹物警惕之意，但家人大概也不滿於這種表面的「閒情逸致」，也容易讓人聯想起戰火時的驚惶，於是便將其棄置在雜屑簍裡。

還好，作者又將其拾回，並且爲了長久之計，派人到城隍廟一帶的紅木鋪，配上了一個紅木架。在這裡，文章暗示我們，作者並不希望自己，甚或是所有中國人，忘卻了這個戰役所留下的苦痛。「假山」在一般的認知中，指的是園林中的造景，其實還有用土石堆成，軍事上作爲地下基地或火箭發射口的假山。在這裡，「鋼鐵假山」顯然有著後面一層的涵義。

當這塊碎片被當作假山擺在案頭，而且經歷三年，長滿紅鏽之後，作者再度靜觀這鋼鐵假山，他發現：「碎裂的整塊的，像沈石田的峭壁，細雜的一部分像黃子久的皴法，峰岡起伏的輪廓有些像倪雲林。」這些比喻，是將歷史的遺物聯想至文人雅士賞玩的古董，讓這片炸彈碎片「不幸地著上了一件古董的衣裳」，家人和客人都是從這視角觀察鋼鐵假山的。

作者對這個現象十分擔心，因爲他的用意完全不是這樣，他想保留的是戰火的遺跡，以及人類自相殘殺的血淚印記，更是國仇家恨的歷史教訓。然而，大部分的人卻極容易忘卻慘痛的歷史，容易拋棄血淋淋的眞相。因此，文章的最後，他說：「我不願在這嚴重的史蹟上弄輕薄的文字遊戲，寧願老老實實地寫幾句記實的話。」因此，作者拋棄了詩歌或銘的方式，而以嚴肅的心情寫下了這篇散文，目的便是在「記實」，不使歷史眞相因爲文學手法過度的包裝或婉曲，而表現失眞。

更有甚者，作者還進一步運用了層遞法，強調光憑墨色書寫於鐵上是顯現不出來的，這樣的歷史教訓應該用「血」來書寫，也就是紅色的「朱漆」。豔紅的漆字在烏黑的鋼鐵上，點染出血與淚的眞實，不僅銘刻在作者的心上，更希望能夠銘刻在讀者的心上，因爲歷史不能遺忘，眞相必須記取。可以說，在這篇文章裡，文學大師夏丏尊從一片小碎片出發，以看似冷靜卻熱血的筆法，爲我們記錄下重要的歷史片刻，以及身居其中知識份子們的熾熱胸懷。

▶修辭散步

1. 誇飾：如：「說出來一定會叫人髮指。」
2. 譬喻：如：「有些部分像峭壁，有些部分像危岩，鋒棱銳利得同刀口一樣。」
3. 雙關：一語同時關顧到兩種事物，或兼含兩種意義。如：「論到證據的性質，這確是『鐵證』了」（證據上的鐵證與本身的鋼鐵材質）。
4. 轉化：為用物擬人，用人的特性來描寫物，使物具有人的特性。如：「一經穿上了古董的衣服，就減少了歷史的刺激性」、「不幸地著上了一件古董的衣裳」。
5. 排比：如：「碎裂的整塊的，像沈石田的峭壁，細雜的一部分像黃子久的皴法，峰岡起伏的輪廓有些像倪雲林」（排比+譬喻）。
6. 設問：如：「寫些什麼文字呢？詩歌或銘嗎？」「用什麼來寫呢？」（提問）

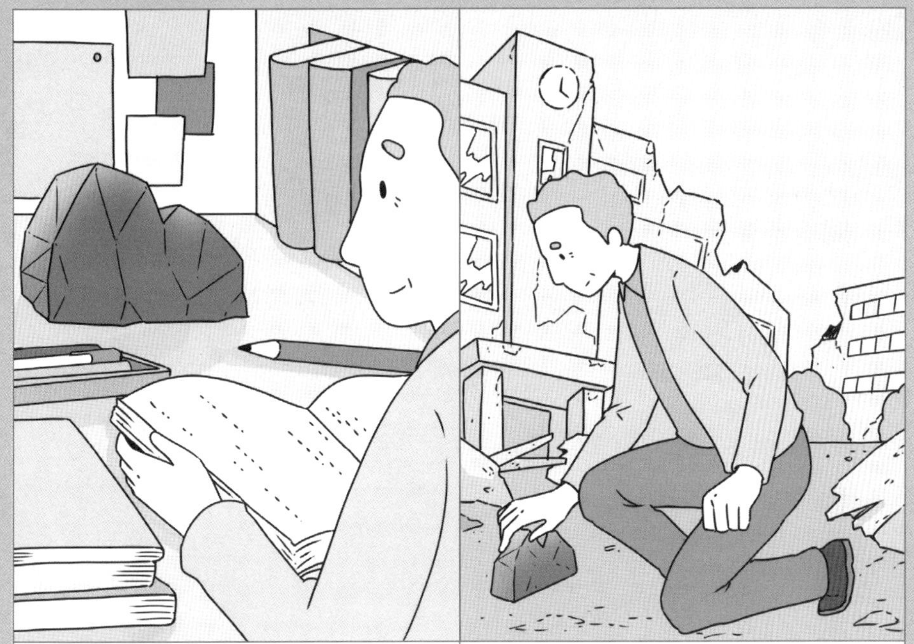

案頭有一座鋼鐵的假山，是「一二八」之役日人所擲的炸彈的裂塊。

我到學校視察被害的實況，在滿目悽愴中拾得這片鋼鐵回來。

這塊鋼鐵曾被家人棄置在雜屑簍裡，也曾被客人稱讚它有畫意。

我想用朱漆寫文字上去，使它在人的眼中不僅是富有畫意的假山。

▶文學遊戲場

一、閱讀素養

（　　）1. 以下爲〈鋼鐵假山〉一文的主旨，何者爲眞？

(A)鋼鐵片是食之無味、棄之可惜的物品。

(B)鋼鐵片是「一二八事變」日本所擲炸彈的碎片，是日軍侵略的「鐵證」。

(C)鋼鐵片寄寓著作者銘記歷史、毋忘國恥的收藏意圖。

(D)鋼鐵片是得之不易的古董，造型具有畫意。

（　　）2. 到了文末，作者想表達的事情是什麼？

(A)提醒國人不要忘記與日本的仇恨。

(B)要時常警惕日本帝國主義復活，維護世界和平。

(C)不應當隨意將戰場上的遺物帶回家。

(D)提醒人們歷史容易被淡忘，眞相應該被保存下來。

二、向大師學寫作

作文題目：

有些物品隨著時間流逝，還伴隨了我們的情感與回憶，例如一張卡片、一張照片、一雙球鞋等等。你心中最喜愛的物品是什麼？請以「我最愛的物品」爲題，描述這件物品的外觀，以及與物品相關的經驗和感受。

作文提示：

審題：只要寫出物品與你之間發生的事，就是正確的寫作方向。取材上，應選擇與生活貼近的物品來寫，同時也帶出與物品相關的人物，以回憶懷舊的情感來書寫。開頭：使用反起法，先從反面寫起，說自己原本沒想到擁有這件物品，像寫謎語的方式，先描述特徵，在最後一兩句才揭曉物品的「身份」。經過：用對話法，利用人物的對話來推動情節、帶出送這件物品的人，或是以故事法，描述購買這件物品的經過，然後點出物品的象徵意義。結尾：運用讚美法，對物品加以讚美，並從物品上面反省自我，得到自我成長的體悟。

三、心智圖練習

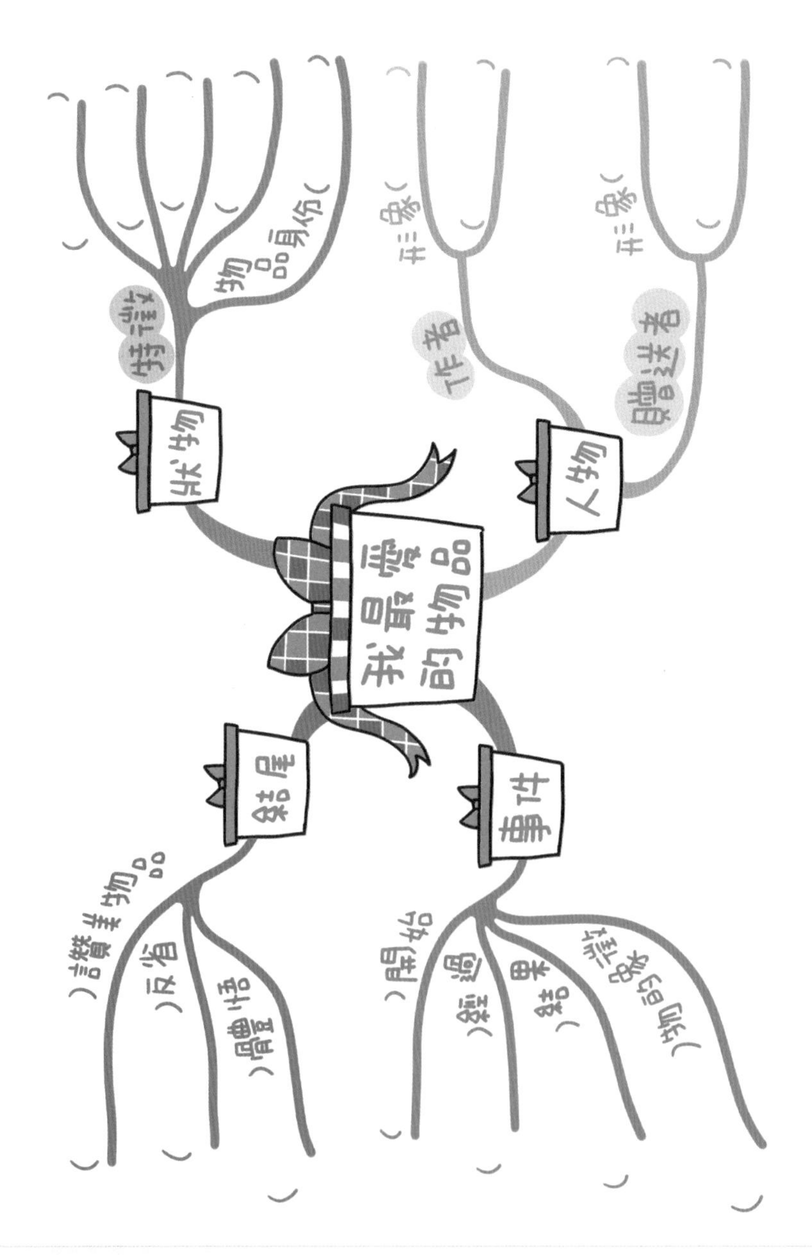

提示：可任意決定「狀物」、「人物」、「事件」的寫作次序，故事的呈現便有不同的感覺。

名篇選讀

3.風箏／魯迅

▶經典原文

北京的冬季，地上還有積雪，灰黑色的禿樹枝丫叉於晴朗的天空中，而遠處有一二風箏浮動，在我是一種驚異和悲哀。

故鄉的風箏時節，是春二月，倘聽到沙沙的風輪聲，仰頭便能看見一個淡墨色的蟹風箏或嫩藍色的蜈蚣風箏。還有寂寞的瓦片風箏，沒有風輪，又放得很低，伶仃[1]地顯出憔悴可憐模樣。但此時地上的楊柳已經發芽，早的山桃也多吐蕾，和孩子們的天上的點綴相照應，打成一片春日的溫和。我現在在哪裡呢？四面都還是嚴冬的肅殺，而久經訣別的故鄉的久經逝去的春天，卻就在這天空中蕩漾了。

但我是向來不愛放風箏的，不但不愛，並且嫌惡他，因爲我以爲這是沒出息孩子所做的玩藝。和我相反的是我的小兄弟[2]，他那時大概十歲內外罷，多病，瘦得不堪，然而最喜歡風箏，自己買不起，我又不許放，

1 伶仃：音ㄌㄥˊ ㄉㄥ，孤苦無依的樣子。

2 小兄弟：指魯迅的三弟周建人，字喬峰，生物學家，曾擔任商務印書館編輯。

他只得張著小嘴，呆看著空中出神，有時至於小半日。遠處的蟹風箏突然落下來了，他驚呼；兩個瓦片風箏的纏繞解開了，他高興得跳躍。他的這些，在我看來都是笑柄[3]，可鄙[4]的。

有一天，我忽然想起，似乎多日不很看見他了，但記得曾見他在後園拾枯竹。我恍然大悟似的，便跑向少有人去的一間堆積雜物的小屋去，推開門，果然就在塵封的什物堆中發現了他。他向著大方凳，坐在小凳上；便很驚惶地站了起來，失了色瑟縮著。大方凳旁靠著一個胡蝶風箏的竹骨，還沒有糊上紙，凳上是一對做眼睛用的小風輪，正用紅紙條裝飾著，將要完工了。我在破獲祕密的滿足中，又很憤怒他的瞞了我的眼睛，這樣苦心孤詣[5]地來偷做沒出息孩子的玩藝。我即刻伸手折斷了胡蝶的一支翅骨，又將風輪擲在地下，踏扁了。論長幼，論力氣，他是都敵不過我的，我當然得到完全的勝利，於是傲然走出，留他絕望地站在小屋裡。後來他怎樣，我不知道，也沒有留心。

然而我的懲罰終於輪到了，在我們離別得很久之後，我已經是中年。我不幸偶爾看了一本外國的講論兒

[3] 笑柄：可藉以取笑的題材。

[4] 可鄙：令人鄙視。

[5] 苦心孤詣：費盡心思，專心研究，達到他人無法並駕齊驅的境地。詣，音 ㄧˋ。

童的書，纔[6]知道遊戲是兒童最正當的行爲，玩具是兒童的天使。於是二十年來毫不憶及的幼小時候對於精神的虐殺的這一幕，忽地在眼前展開，而我的心也彷彿同時變了鉛塊，很重很重地墮[7]下去了。

但心又不竟墮下去而至於斷絕，他只是很重很重地墮著，墮著。

我也知道補過[8]的方法的：送他風箏，贊成他放，勸他放，我和他一同放。我們嚷著、跑著，笑著。——然而他其時已經和我一樣，早已有了鬍子了。

我也知道還有一個補過的方法的：去討他的寬恕，等他說，「我可是毫不怪你呵。」那麼，我的心一定就輕鬆了，這確是一個可行的方法。有一回，我們會面的時候，是臉上都已添刻了許多「生」的辛苦的條紋，而我的心很沉重。我們漸漸談起兒時的舊事來，我便敘述到這一節，自說少年時代的胡塗。「我可是毫不怪你呵。」我想，他要說了，我即刻便受了寬恕，我的心從此也寬鬆了吧。

「有過這樣的事麼？」他驚異地笑著說，就像旁聽著別人的故事一樣。他什麼也不記得了。

[6] 纔：音ㄘㄞˊ，同「才」。
[7] 墮：音ㄉㄨㄛˋ，掉落。
[8] 補過：補救，彌補。

全然忘卻，毫無怨恨，又有什麼寬恕之可言呢？無怨的恕，說謊罷了。

我還能希求什麼呢？我的心只得沉重著。

現在，故鄉的春天又在這異地的空中了，既給我久經逝去的兒時的回憶，而一併也帶著無可把握的悲哀。我倒不如躲到肅殺的嚴冬中去罷，——但是，四面又明明是嚴冬，正給我非常的寒威和冷氣。

▶認識名家

魯迅。參見p.50。

▶題解

〈風箏〉出自《野草》。作者以「風箏」爲引線，對自己曾經無情、粗魯地對待弟弟，做了深刻的反省。透過個人，看到傳統的倫理道德下的社會面貌，這種威權式的管理、長幼尊卑的秩序，對孩童是何等的殘酷，不知不覺扼殺了兒童的天性。作者透過這樣的自省，挖掘出更深層的社會弊病。

▶心智圖

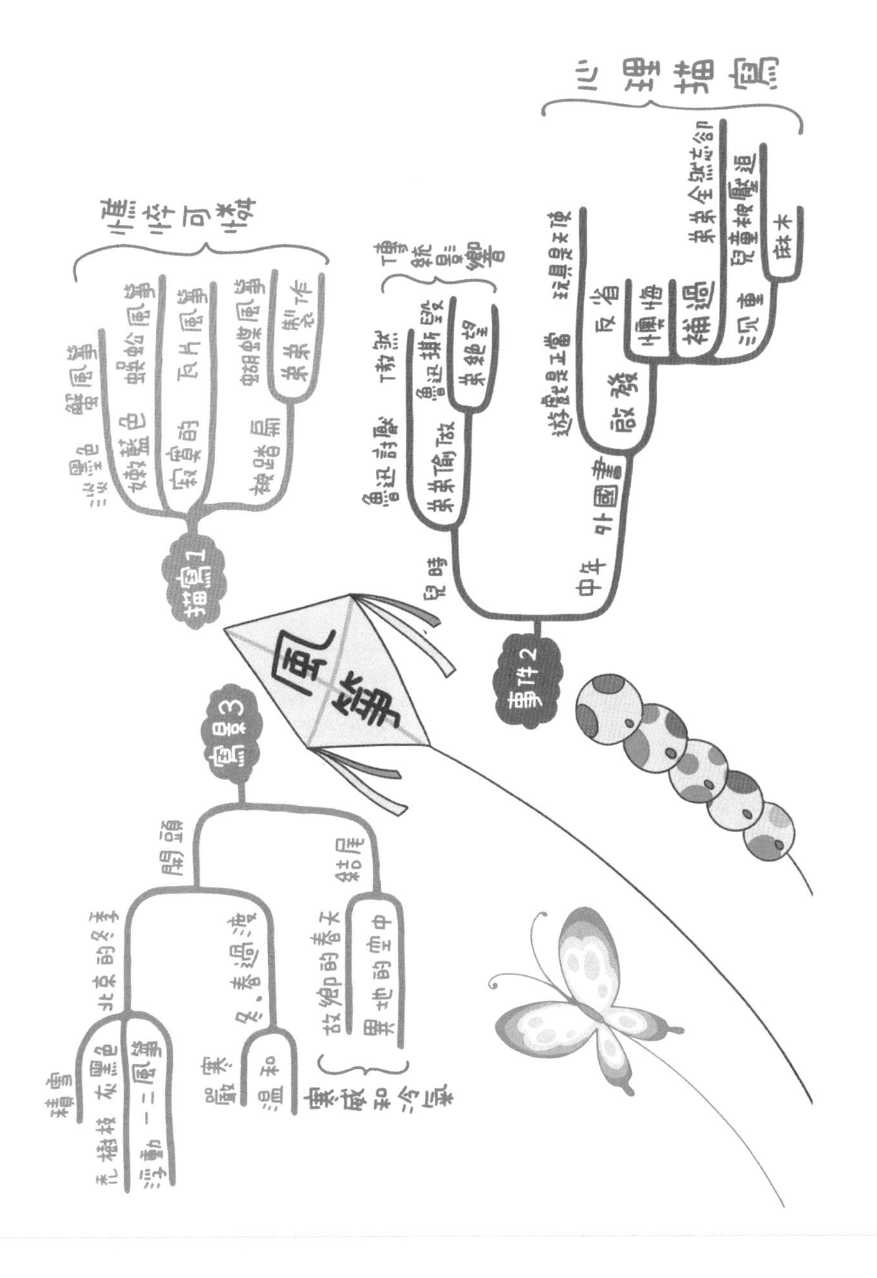
風箏
描寫1
灰黑色
蟹風箏
嫩藍色
蜈蚣風箏
寂寞的
瓦片風箏
被踏扁
蝴蝶風箏
弟弟製作
憔悴可憐
事件2
兒時
魯迅討厭
弟弟偷做
魯迅撕毀
弟弟絕望
中年
外國書
遊戲是正當
玩具是天使
啟發
反省
懊惱
補過
弟弟全然忘卻
沉重
兒童被壓迫
麻木
心理描寫
寫景3
開頭
北京的冬季
積雪
禿樹枝
灰黑色
浮動
一二風箏
冬、春過渡
嚴寒
溫和
寒威和冷氣
結尾
故鄉的春天
異地的空中

▶心智圖解讀：風箏

這是一篇自省性質的散文，以「風箏」爲主線來發展情節。敘述往事，以及偶爾停下來在細微處描繪，是本文的特色。文章開頭先概括的寫景，從北京的冬季、晴朗的天空中，有「一二風箏浮動」，使作者引起了「一種驚異和悲哀」。接著，以一段對故鄉風箏時節的回憶，說明悲哀的原因。

此外，作者又以各種形容詞來形容所見的各類風箏：淡墨色的蟹風箏、嫩藍色的蜈蚣風箏、寂寞的瓦片風箏，還有後文被踏扁的蝴蝶風箏，在作者眼中都是「伶仃地顯出憔悴可憐模樣」。天上的風箏和地上的景物、孩子、嚴冬的肅殺感覺，交織出不祥的預感，爲後文的事件預先埋下伏筆，作者在這裡不單純是抒發對故鄉的懷念，而是想起小時候欺凌弟弟的往事。

在第三段以後，作者敘述欺壓弟弟的經過，並且深深地懺悔。過去，作者一直認爲放風箏「是沒出息孩子所做的玩藝」，身爲兄長，應該嚴格管束弟弟，所以無視弟弟對玩耍的需求，只是指望弟弟能夠「有出息」一點。現在反思起來，當年的作者自己，其實是受到傳統觀念所支配。在他將弟弟製作的風箏撕毀時，他想到「論長幼，論力氣，他是敵不過我的」，這是長幼之間不講情理的倫理秩序，也是以強欺弱的行徑。魯迅將自己寫得很粗暴，然而越是粗暴，越是能看見他在字裡行間自我譴責的意味。

在三到五段之間，作者以白描的手法，將人物形象、性格等刻劃得栩栩如生。他描寫「十歲內外」、「多病，瘦得不堪」的小弟，「張著小嘴，呆看著空中出神」，爲別人放的風箏「驚呼」、「跳躍」的模樣，只有幾筆勾勒，就把孩童單純無邪的形象表現了出來。

在第五段，當弟弟做風箏的祕密被作者發現時，他描繪弟弟的神情：「他向著大方凳，坐在小凳上；便很驚惶地站了起來，失了色瑟縮著。」窘迫不堪的樣子，令人覺得可憐。而作者毀壞了弟弟即將完成的風箏，「傲然走出」屋子，「留他絕望地站在小屋裡」，更加強了弟弟驚懼、絕望的形象，兄、弟的舉止行爲互相對照，突顯了作者的蠻橫與弟弟的柔弱、可憐。「精神虐殺」的這一段，說明了魯迅的兄弟之情、遊戲之於兒童的意義，以及魯迅的自省精神。

在文章最後幾段，魯迅對自己的行爲有深刻的剖析，心理描寫也很出色。從弟弟放風箏的角度看，「遊戲是兒童最正當的行爲，玩具是兒童的天使」，遊戲可以培養孩子的創造力，是健康的行爲，因此不准兒童放風箏、玩遊戲，無異是「精神的虐殺」。魯迅看到國外的兒童教育書籍後，才眞正體悟到中國傳統舊教育的落後，而感到「心彷彿同時變了鉛塊，很重很重地墮下去了」，著重地呈現了作者沉重的心情。

文章更深刻之處，還有魯迅對小弟受到欺凌，後來卻「忘記」、「毫無怨恨」的深沉感慨。作者發現，成年後的小弟已經全然忘卻這段往事，探究原因，原來在傳統觀念的影響下，小弟躲起來偷做風箏，自己也認爲不正當，所以對兄長的「教訓」並不耿耿於懷。兒童被壓迫的麻木，使壓迫的成人可以恣意妄爲，尤其令人悲哀，所以魯迅只覺得這世界是一片「寒威和冷氣」，文章的結尾就歸結在這一點上，留下了悲哀的餘韻。

善於剖析自己的魯迅，通過對這事件的反思，抨擊了傳統觀念與倫理的弊病，引發了令人深思的問題，我們應該如何保護孩子的天性？如何讓孩子在自由的天地中生活和生長？文章的思想是深刻的，情感是沉重的，是一篇深入淺出、語重心長的好文。

▶修辭散步

1. 感官描寫：如：「灰黑色的禿樹枝丫叉于晴朗的天空中，而遠處有一二風箏浮動」、「仰頭便能看見一個淡墨色的蟹風箏或嫩藍色的蜈蚣風箏」（視覺）、「倘聽到沙沙的風輪聲」（聽覺）等。
2. 擬人：如：「還有寂寞的瓦片風箏，沒有風輪，又放得很低，伶仃地顯出憔悴可憐模樣。」
3. 設問：如：「我現在在哪裡呢？」「全然忘卻，毫無怨恨，又有什麼寬恕之可言呢？」「我還能希求什麼呢？」（提問）。
4. 排比：如：「遠處的蟹風箏突然落下來了，他驚呼；兩個瓦片風箏的纏繞解開了，他高興得跳躍。」
5. 譬喻：如：「而我的心也彷彿同時變了鉛塊，很重很重地墮下去了。」

故鄉的風箏時節是春二月，仰頭便能看見遠處有一二風箏浮動。

我以為風箏是沒出息孩子所做的玩藝兒，小朋友卻最喜歡風箏。

我伸手折斷了弟弟製作的蝴蝶風箏，留下他絕望地站在小屋裡。

弟弟成年後完全忘了這件事，我的心卻很沉重，就像窗外的嚴冬。

▶文學遊戲場

一、閱讀素養

（　　）1. 魯迅過去很反對弟弟玩風箏，甚至撕毀弟弟的風箏，原因為何？

(A) 自認兄長有教訓弟弟的責任，希望弟弟成材。

(B) 魯迅本身的言行十分粗暴，經常霸凌弟弟。

(C) 受傳統觀念影響，認為放風箏的孩子沒出息。

(D) 本身不喜歡放風箏，因而也討厭弟弟玩。

（　　）2. 弟弟成年後忘記「風箏事件」，也沒有怨言，為何魯迅認為這是最悲哀的？

(A) 弟弟當時年紀還小，不記得風箏事件了。

(B) 弟弟也受傳統觀念影響，認為自己不該玩風箏。

(C) 弟弟寬宏大量，選擇忘記與原諒。

(D) 弟弟尊重兄長，順服於兄長的教訓。

二、向大師學寫作

作文題目：

生活中經常會發生一些事情，能夠啓發我們的想法，促使我們成長，令人終生難忘。想一想，你曾經受到什麼事情的啓迪？請以「最懊悔的事」為題，敘述經歷這件事情的經過、得到的啓示和影響。

作文提示：

審題：應該選擇一件印象深刻的事來寫，這件事對你造成衝擊，影響你的人生觀。要將事件的經過敘述出來，並且著墨在個人的成長。開頭：使用比喻法，先將人生做個比喻，例如「人生就像是調味料，各種滋味無法預先知道」，必須親身體驗才能明白。經過：運用回憶法，將時間拉回到事發當時，開始敘述經過，取材上，要能從中提煉出「人生體悟」才好。結尾：用感想法，這類以「反省內心」為題材的文章，最適合用「倒反修辭」來自嘲、責備自己，可以突顯反省的誠懇，突出「啓示」的主旨。

三、心智圖練習

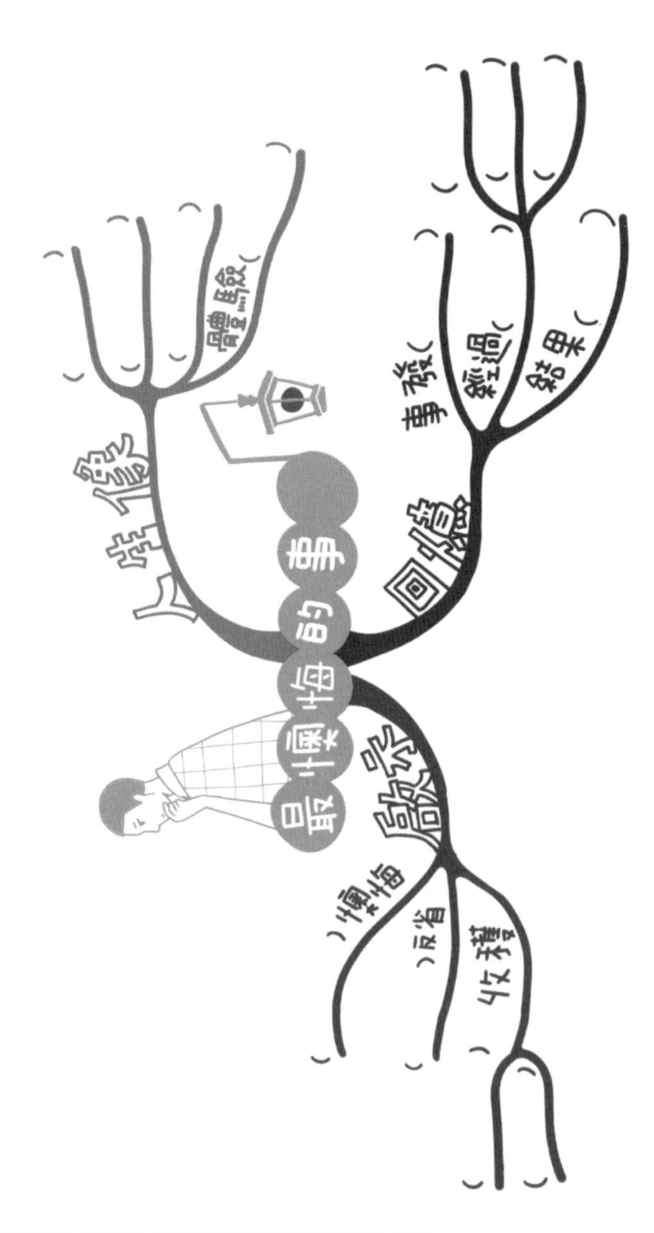

提示：在「回憶」下面，再分出第三層的小支幹，文章內容便會更豐富。

PART 5

想像力好好玩

抒發情意

觀念大聲說

▶為什麼需要抒情？

任何文章都包含了「情」，不只是抒情文，記敘文也常敘述令人感動的事，作爲永恆的紀念；議論文雖然重視說「理」，但正因爲我們對事物有所好惡，才會議論，說出自己的看法：應用文的書信更要用情，一封動人的信，能夠跨越時空的距離，聯繫彼此的心。

情感就像暗流，總是深藏在記憶之下，如波浪一樣或升或降，此起彼伏，不論是寫哪種情感，都必須發自內心流露出來，虛情假意的文章是無法打動讀者的。寫作時免不了要將情感融入字裡行間，所以我們應該熟悉「抒情」的方法，使文章具有打動人心的力量！

抒情文的段落結構

段落	一	二	三	四
結構	點出起因	發展過程	高潮轉折	結果感想
內容	描寫對象	引起觸發	抒發情感	訴說感懷

▶該怎麼描寫情意？

寫抒情文最常遇到的困難，就是找不到令人感動的事物，不是缺乏材料，就是內容少了情感，無法使人感動。其實，抒情文的材料就在日常生活中，可以描寫親情、朋友之間的友情，或是對社會事件發出評論，抒發關心之情。只要平日多多關懷周遭的事物，就不怕「無情可書」。

因爲情感是透過人、景、物來觸發的，所以書寫時，我們應該先將這些引發情感的事物描繪清楚，再運用想像力，讓聯想自然地散發開來，就像湖中的漣漪一般，讓抒發情感的依據有足夠的基礎，寫來就能真切動人，有憑有據。

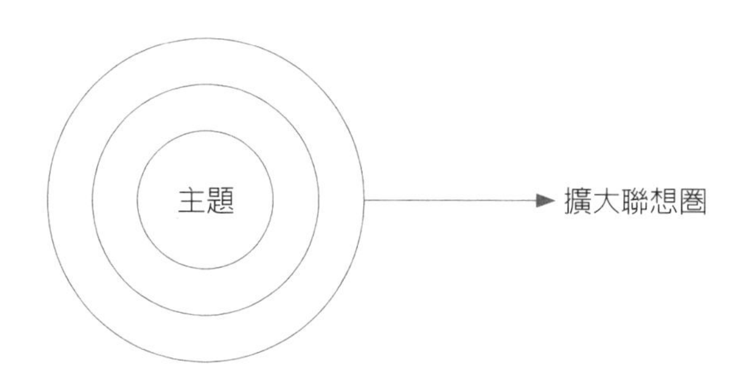

想把抒情文寫好，就要把握幾個要領，分別是因人生情、敘事傳情、感時訴情、詠物興情、借景抒情和情理兼具：

1.因人生情

主要書寫對人的感懷與思念。這類文章往往有生離死別的情境，或帶著深深的感謝。寫作重心多放在描寫人物的言行舉止、性格思想、相處細節等。從與人物相處的點點滴滴，或是對某人事蹟的了解，把我們對人物的感謝、崇敬或思念，娓娓道來，就能感受到那份深刻的情意。

以「春風化雨」為例，描寫的對象是「老師」。老師是我們在學習與生活上關係密切的人，舉一些和老師互動的例子，投入感受，就能寫得細膩動人。

2.敘事傳情

是藉著說一件事情，寄託我們的情感。表面好像只是在講事情，抒情的成分減少了，但其實是藉著幾件小事來表現感情。要訴說的「情」，最好能跟著「敘事」走，要「情隨事轉」，讓情感隨著事情的發展、經過和結果，有不同的轉折，才顯得出情感的波動。

通常作文都會要我們寫正面的事，像「一件感人的事」，充滿溫馨的氣氛，比如目擊到小學生扶老人家過馬路。有時作文也會需要寫悔過、反省的題材，如「一件後悔的事」，表達要「哀而不傷」、「怨而不怒」，將負面的情緒轉化為樂觀、豁達，表現進取的精神。

3.感時訴情

時節，指二十四節氣，是從古時農作物耕作的情況來分的。春、夏、秋、冬，四季的流轉，影響了農作物的生長、收成，也改變了農民的生活。有些文章取材於時節，除了指季節，還包含了節慶，透過節日的意義帶出蘊藏背後的情感，寫出故事。

寫作時，首先要先了解節日的特色和意義，再舉出事實，描述在這個時間從事的活動。因為節日都帶有特殊性，所以例子要緊扣著節日來發揮，然後自然地帶出你對節日的感受。

4.詠物興情

物品讓我們想到某個人或事，所以「物」就是情感的象徵，人對物產生的情感，是書寫的重點。「物」可分爲無生命的物品，和有生命的植物、動物。「物品」要著重描述帶給你的意義；「植物」著重你對植物的觀察和描繪；「動物」著重與人的互動。

寫作時，要先描繪「物」的特徵，但是靠這樣還不夠，必須加上人和事才行。「人」是物的贈送者、買受人和擁有者，比如朋友送禮給你，朋友是贈送人，你就是禮物的擁有者；如果你買了一件物品，你就是物的買受人。只有將人、事、物融合在一起，才是文情並茂的抒情文。

5.借景抒情

如果你到了某個地方，看見美麗的風景，自然會對景物的美好產生感動，將觀察到的地理及季節變化，用文字寫下來，讓人感受內心的感情。描寫大自然，能引發我們不同的情懷；而生活其中的生物，也能引起聯想，比如喜鵲的報喜、杜鵑的哀鳴，都能帶來不同的情緒。

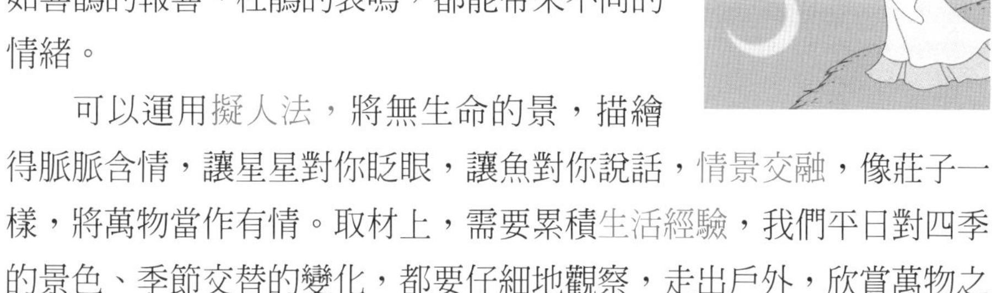

可以運用擬人法，將無生命的景，描繪得脈脈含情，讓星星對你眨眼，讓魚對你說話，情景交融，像莊子一樣，將萬物當作有情。取材上，需要累積生活經驗，我們平日對四季的景色、季節交替的變化，都要仔細地觀察，走出戶外，欣賞萬物之

美，寫作才有靈感。

6.情理兼具

有些文章雖然側重「議論」，但說理之餘不忘抒情，使得議論能因爲情感的抒發而更有說服力。有些文章雖然著重「抒情」，但如果能從情感層面挖掘「理趣」，文章就會呈現趣味性。

先情後理的寫法，是先將情感表達後，再從情感昇華出事理。至於先理後情，就要先將重心放在「議論」，「情感」的比重較低，是透過說理表現熱烈的情感，或對他人的關懷。寫作時，可將情感與議論分段寫，也可以融合在一起，這就是軟性的議論文。情理兼具的文章，字裡行間充滿了感性，使人覺得言之有理，又感動在心，接受文章傳達的看法。

情→理（讓情感不會氾濫成災）

理→情（讓理性不會冷酷無情）

名篇選讀

1.巴黎的鱗爪（節錄）／徐志摩

▶經典原文

咳巴黎！到過巴黎的一定不會再稀罕[1]天堂；嘗過巴黎的，老實說，連地獄都不想去了。整個的巴黎就像是一床野鴨絨的墊褥，襯得你通體舒泰，硬骨頭都給熏酥了的——有時或許太熱一些。那也不礙事[2]，只要你受得住。讚美是多餘的，正如讚美天堂是多餘的；咒詛[3]也是多餘的，正如咒詛地獄是多餘的。巴黎，軟綿綿的巴黎，只在你臨別的時候輕輕地囑咐一聲「別忘了，再來！」其實連這都是多餘的。誰不想再去？誰忘得了？

香草在你的腳下，春風在你的臉上，微笑在你的周遭。不拘束你，不責備你，不督飭[4]你，不窘[5]你，不惱你，不揉你。它摟著你，可不縛住你：是一條溫存的臂膀，不是根繩子。它不是不讓你跑，但它那招逗的指尖

1 稀罕：希奇可貴。
2 不礙事：不會妨礙事情的處理。
3 咒詛：音ㄓㄡˋ ㄗㄨˇ，用惡毒的言語詛罵祈求鬼神降禍他人。
4 督飭：監督指揮。飭，音ㄔˋ。
5 窘：音ㄐㄩㄥˇ，困。

卻永遠在你的記憶裡晃著。多輕盈的步履，羅襪[6]的絲光隨時可以沾上你記憶的顏色！

但巴黎卻不是單調的喜劇。賽因河的柔波裡掩映著羅浮宮[7]的倩影，它也收藏著不少失意人最後的呼吸。流著，溫馴的水波；流著，纏綿的恩怨。咖啡館：和著交頸[8]的軟語，開懷的笑靨[9]，有踞坐[10]在屋隅[11]裡蓬頭少年計較自毀的哀思。跳舞場：和著飜[12]飛的樂調，迷醇的酒香，有獨自支頤[13]的少婦思量著往蹟[14]的愴心[15]。浮動在上一層的許是光明，是歡暢，是快樂，是甜蜜，是和諧；但沉澱在底裡陽光照不到才是人事經驗的本質：說重一點是悲哀，說輕一點是惆悵[16]：誰不願意永遠在輕快的流波裡漾著，可得留神了你往深處去時的發見！

---

6 羅襪：絲織的襪子。

7 羅浮宮：法國舊王宮。為「louvre」的音譯，位於巴黎市中心，賽納河北岸，面積約十九點七平方公里。菲利浦二世（1180～1223年）時始建，歷代國王增建，至十九世紀完成。西元1678年，路易十四遷居凡爾賽宮，羅浮宮初次公開開放。1791年5月，正式成立羅浮宮博物館。

8 交頸：比喻恩愛情深。

9 笑靨：笑時臉上的微渦。

10 踞坐：伸開兩隻腳，雙膝弓起坐著。這種姿態有倨傲不恭、旁若無人之意。

11 隅：音ㄩˊ，角落。

12 飜：音ㄈㄢ，「翻」的異體字。

13 支頤：用手托住臉頰。頤，音ㄧˊ。

14 蹟：同「跡」。往蹟，往事。

15 愴心：哀傷的心情。愴，音ㄔㄨㄤˋ。

16 惆悵：音ㄔㄡˊ ㄔㄤˋ，悲愁、失意。

▶認識名家

徐志摩（1897～1931年），原名章垿（ㄒㄩˋ），字槱（ㄧㄡˇ）森，後改字志摩，浙江海寧人。著名現代詩人、散文家，也是武俠小說作家金庸的表哥。他出生富裕家庭，曾就讀北京大學，留學美、英，後來在清華大學、北京大學等校教書。性格浪漫，一生追求「愛」、「自由」與「美」。1931年11月19日，他搭乘飛機由南京北上，去聽一場建築講座時，飛機在霧中撞山墜機，逝世時只有34歲。

徐志摩的作品充滿理想與熱情，詞采華麗，音律優美，倡導新詩格律，對中國新詩的發展有重要的貢獻。著有詩集《志摩的詩》、《翡冷翠的一夜》、《猛虎集》等；散文集《我所知道的康橋》、《落葉》、《巴黎的鱗爪[17]》、《自剖》等；小說散文集《輪盤》；另有日記《愛眉小札》、《志摩日記》等。

▶題解

〈巴黎的鱗爪〉出自《巴黎的鱗爪》，本書節錄的部分僅爲此文的開頭。身爲藝術家的徐志摩，來到他朝思暮想的藝術之都，如同遊子尋見慈母，可以想見他當時是一種怎樣的心情。文章一開始，作者就以他特有的富於激情的筆調，直接表達了感受。於不經意之中，更在營造著氛圍。這種氛圍讓你無法克制自己要與作者一起神遊巴黎，聆聽作者漫談對巴黎的觀感。

[17] 鱗爪：龍的鱗和爪。比喻瑣屑、殘餘或無足輕重的事物。

▶心智圖

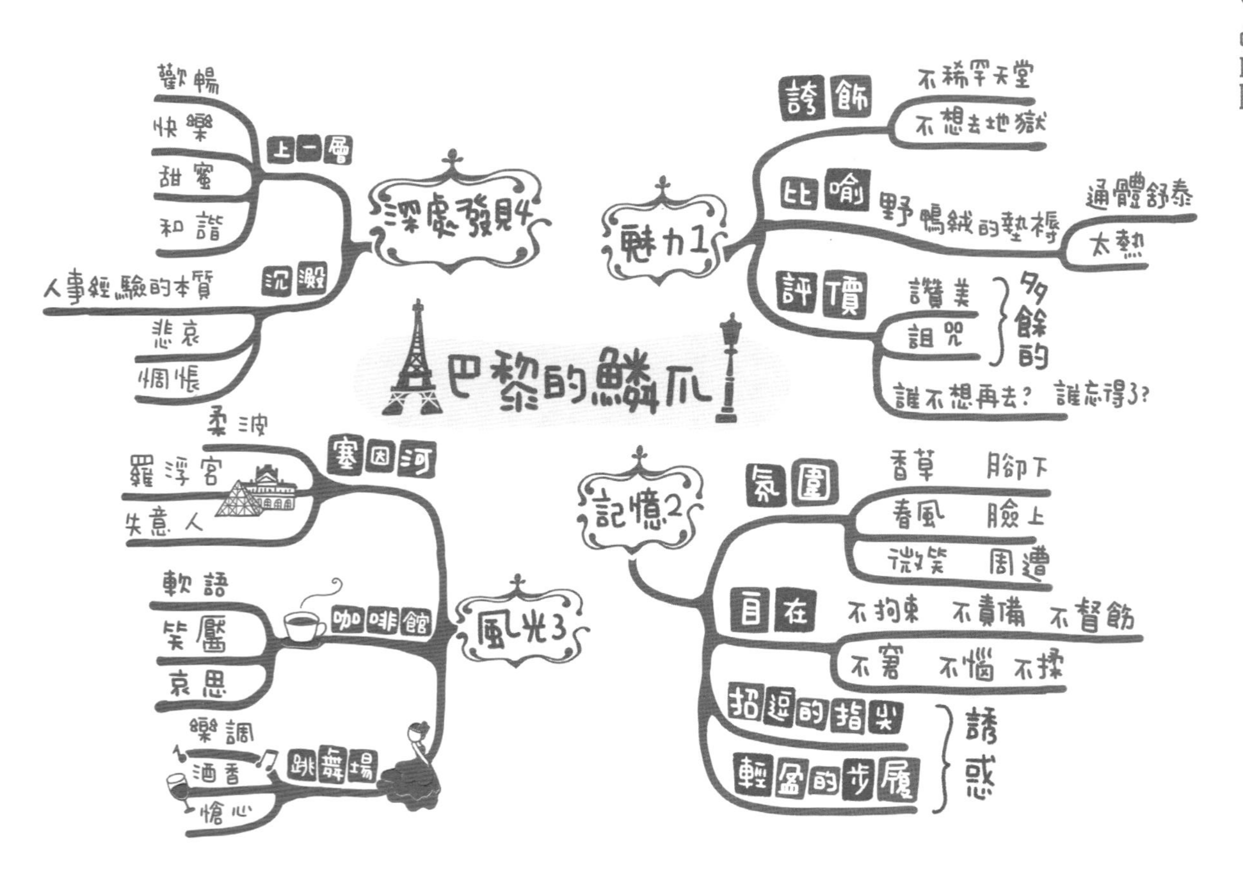
巴黎的鱗爪
魅力1
誇飾
不稀罕天堂
不想去地獄
比喻
野鴨絨的墊褥
通體舒泰
太熱
評價
讚美
詛咒
多餘的
誰不想再去？ 誰忘得了？
記憶2
氛圍
香草 腳下
春風 臉上
微笑 周遭
自在
不拘束 不責備 不督飭
不惱
招逗的指尖
輕盈的步履
誘惑
風光3
塞因河
柔波
羅浮宮
失意人
咖啡館
軟語
笑靨
哀思
跳舞場
樂調
酒香
愴心
深處發見4
上一層
歡暢
快樂
甜蜜
和諧
沉澱
人事經驗的本質
悲哀
惆悵

▶心智圖解讀：巴黎的鱗爪（節錄）

這篇散文題爲「巴黎的鱗爪」，換言之，是印象式的描述對巴黎的見聞，針對最精采之處進行了扼要的散談。本書中，只選錄了這篇散文的開頭，也就是對巴黎最概括的部分，因爲好的文章開頭，總會讓讀者留下難以忘懷的印象，不僅能夠引起閱讀的想望，同時將全文最重要的部分作爲線索，提點讀者進入。我們跟著這篇散文的開頭，探索徐志摩如何經營一篇文章，並跟著他的目光，也來拼湊對巴黎的整體印象。

「巴黎」，本身就是個迷人的名詞，它是近代文明中藝術之美的展現，也是生活與藝術最完美的結合。作爲一位痴迷於藝術的文學家，徐志摩來到他朝思暮想的巴黎時，首先感受到的，便是巨大的震撼。因此，這篇文章的開頭，我們可以看到他運用了誇飾的手法，如此形容巴黎之行的美妙：「到過巴黎的一定不會再稀罕天堂；嘗過巴黎的，老實說，連地獄都不想去了。」將心裡的衝擊用誇張的方式表達出來，再適合不過。

接著作者說：「整個的巴黎就像是一床野鴨絨的墊褥，襯得你通體舒泰，硬骨頭都給熏酥了的。」這裡運用了相當具體的譬喻法，將人們在巴黎感受到的心曠神怡，比喻成一床野鴨絨的墊褥，柔軟、舒適，就像整座城市要人完全放下一切，盡情享受眼前的美好。在這裡，讚美是多餘的，咒詛也是多餘的，因爲眞正的美好用語言難以形容，是讓人說不出話來的。首段末尾的：「誰不想再去？誰忘得了？」說明的正是這樣的感受。

在文章第二段，作者接連的運用「香草」、「春風」、「微笑」等光明美好的事物，象徵巴黎的溫柔、自由與熱情，這些會一一留存在作者的記憶中，留下輕盈的步履，與無法遺忘的顏色。當然，巴黎並不是只有單一的面向，在第三段首句「但巴黎卻不是單調的喜劇」，作者表明了要我們更立體、更全面、更敏銳地去觀看巴黎。這個充滿誘惑的天堂，其實也存在著失意人最後的呼吸、少年自毀的哀思，與少婦的傖心。這看似不協調的兩面，其實才是巴黎最完整的面貌，她令人失意中有希冀，貧困中有著對藝術的堅持，傷心中仍有美酒與音樂。

巴黎多元的面貌，正是她迷人的所在，從這樣的觀看中，作者要我們思考的是：「浮動在上一層的許是光明，是歡暢，是快樂，是甜蜜，是和諧；但沉澱在底裡陽光照不到才是人事經驗的本質。」巴黎的美，自然是不能一眼就看透的，她的美具有深度、有內涵，人人都看得見輕快的流波，但更往深淵、更往底層裡頭去觀看後，或許才會發現一切事物的本質。

徐志摩的這篇散文寫的是巴黎的「鱗爪」，但他不往絢麗的羅浮宮、壯觀的凱旋門、迷人的賽因河去寫，反而投向城市的邊緣與角落，去觀看這個城市中更底層、更本質性的事物，因而他所見的是落寞的心靈、陰暗的畫室、傷心的舞場，這種種的不協調，並不妨礙巴黎迷人的底蘊，反而更說明了這個城市藝術的本質。徐志摩運用這樣的構思與切入角度，讓我們看見巴黎人最眞實、灑脫與輕快的一面；而這也正是徐志摩的散文，最美好的特質之一。

▶修辭散步

1. 感嘆：如：「咳巴黎！」
2. 誇飾：如：「到過巴黎的一定不會再稀罕天堂；嘗過巴黎的，老實說，連地獄都不想去了。」（誇飾＋排比）

3. 譬喻：如：「整個的巴黎就像是一床野鴨絨的墊褥，襯得你通體舒泰，硬骨頭都給熏酥了的。」
4. 排比：如：「讚美是多餘的，正如讚美天堂是多餘的；咒詛也是多餘的，正如咒詛地獄是多餘的。」、「香草在你的腳下，春風在你的臉上，微笑在你的周遭。」、「不拘束你，不責備你，不督飭你，不窘你，不惱你，不揉你。」、「流著，溫馴的水波；流著，纏綿的恩怨。」
5. 設問：如：「誰不想再去？誰忘得了？」（激問）
6. 擬人：如：「它（巴黎）摟著你，可不縛住你：是一條溫存的臂膀，不是根繩子。它不是不讓你跑，但它那招逗的指尖卻永遠在你的記憶裡晃著。」（擬人＋譬喻）

▶漫畫經典

到過巴黎的人一定不會再稀罕天堂；嘗過巴黎的人，連地獄都不想去了。
香草在你的腳下，春風在你的臉上，微笑在你的周遭。
賽因河的柔波裡掩映著羅浮宮的倩影，收藏著不少失意人的最後呼吸。
誰不願意永遠在輕快的流波裡蕩漾著，但得留神了你往深處去時的發現！

▶文學遊戲場

一、閱讀素養

(　　) 1. 作者徐志摩認爲應該用什麼態度去探索巴黎？

(A) 享受歡唱、快樂、甜蜜、和諧的一面。

(B) 往深處去挖掘人事經驗的本質。

(C) 永遠在輕快的流波裡漾著。

(D) 享受飄飛的樂調與迷醇的酒香。

(　　) 2. 文中爲什麼說巴黎「是一條溫存的臂膀，不是根繩子」？

(A) 巴黎以魅力吸引人們，置身其中令人感到自在。

(B) 巴黎有眾多的美女，是一個溫柔鄉。

(C) 巴黎的治安給人安全可靠的感覺。

(D) 來過巴黎以後，就不想再去別的城市了。

二、向大師學寫作

作文題目：

每逢假日，就有許多人投身大自然的懷抱，到郊外踏青、露營，可見旅遊在我們的生活中，是一項重要的活動。你曾經去過什麼地方旅行？在旅途中有什麼發現？請以「○○遊記」爲題，描寫旅行時所見的景物、敘述經過和想法。

作文提示：

審題：半開放的題目，可以任選旅遊的地點來作文，所以在取材時，應該找最熟悉、印象最深的來寫，並且多多描寫細節，才能表現作者的觀察力。開頭：使用比喻法，來解釋作文題目的題意或主張，可以讓內容更具體。為旅遊的地點找個絕妙的比喻吧！經過：用抑揚法，先揭露都市的擁擠或空氣污染，再褒揚旅遊地點迷人的風景，兩者拿來比較，可使主題更鮮明，並用誇飾法來形容景色之美。結尾：運用期勉法，表現作者想再度來到此地旅行的期望。

三、心智圖練習

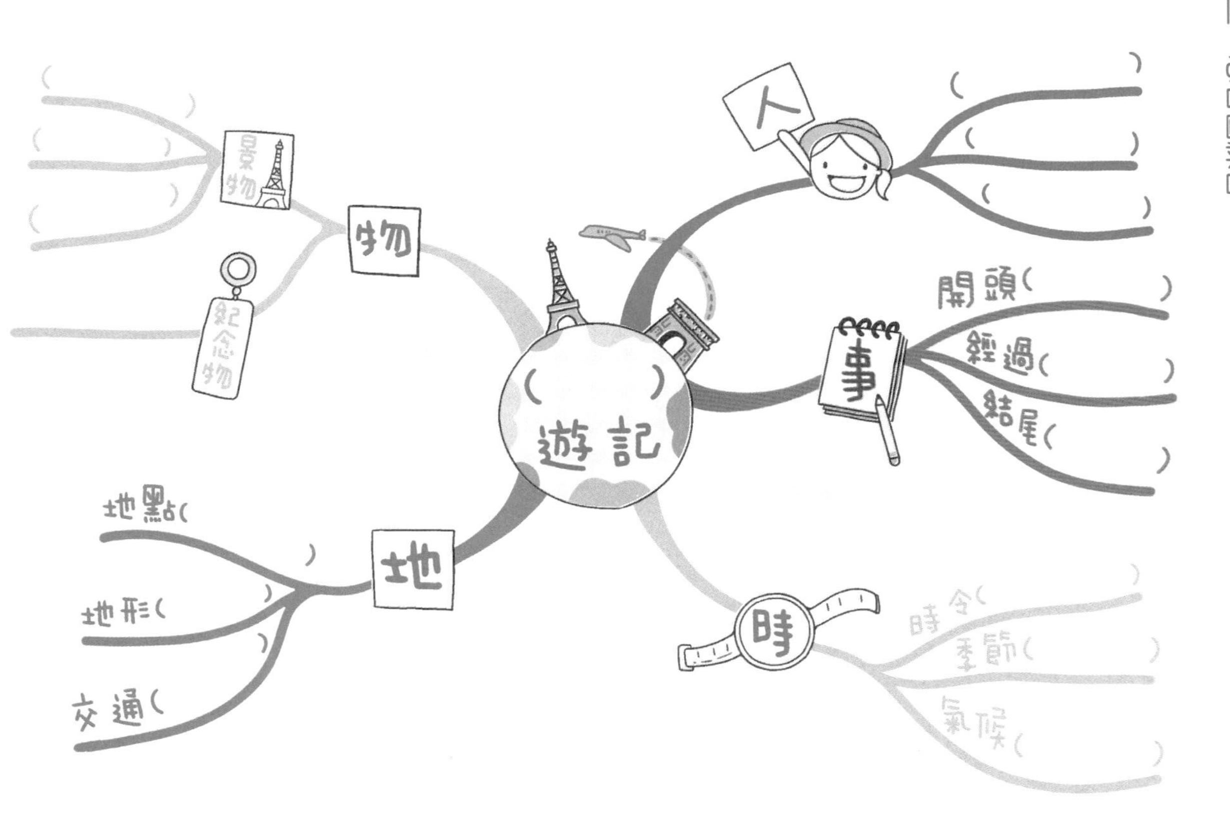

提示：遊記很適合以「人事時地物」分類，在「事」和「物」要分得更細才好。

名篇選讀

2.蛛絲與梅花／林徽因

▶經典原文

眞眞地就是那麼兩根蛛絲，由門框邊輕輕地牽到一枝梅花上。就是那麼兩根細絲，迎著太陽光發亮……再多了，那還像樣麼？一個摩登[1]家庭如何能容蛛網在光天白日裡作怪，管它有多美麗，多玄妙，多細緻，夠你對著它聯想到一切自然、造物的神工和不可思議處；這兩根絲本來就該使人臉紅，且在冬天多特別！可是亮亮的，細細的，倒有點像銀，也有點像玻璃製的細絲，委實[2]不算討厭，尤其是它們那麼灑脫風雅[3]，偏偏那樣有意無意地斜著搭在梅花的枝梢上。

你向著那絲看，冬天的太陽照滿了屋內，窗明几淨，每朵含苞的，開透的，半開的梅花在那裡挺秀[4]吐香，情緒不禁迷茫縹緲[5]地充溢心胸，在那剎那的時間中振盪。同蛛絲一樣的細弱，和不必需，思想開始拋引

1 摩登：現代的、時髦的。為英語「modern」的音譯。指思想、穿著或言行新奇，迎合時尚。
2 委實：確實、真的。
3 灑脫：態度自然大方，不受拘束的樣子。風雅：文雅、儒雅。
4 挺秀：卓立不群，秀美出眾。
5 縹渺：音ㄆㄧㄠˇ ㄇㄧㄠˇ，高遠隱忽而不明。

出去：由過去牽到將來，意識的，非意識的，由門框梅花牽出宇宙，浮雲滄波蹤跡不定。是人性，藝術，還是哲學，你也無暇計較，你不能制止你情緒的充溢，思想的馳騁，蛛絲梅花竟然是瞬息可以千里！

好比你是蜘蛛，你的周圍也有你自織的蛛網，細緻地牽引著天地，不怕多少次風雨來吹斷它，你不會停止了這生命上基本的活動。此刻拿梅花來說吧，一串串丹紅的結蕊綴在秀勁的傲骨[6]上，最可愛，最可賞，等半綻將開地錯落在老枝上時，你便會心跳！梅花最怕開；開了便沒話說。索性[7]殘了，沁香拂散同夜裡爐火都能成了一種溫存[8]的淒清。

記起了，也就是說到梅花，玉蘭。初是有個朋友說起初戀時玉蘭剛開完，天氣每天的暖，住在湖旁，每夜跑到湖邊林子裡走路，又靜坐幽僻石上看隔岸燈火，感到好像僅有如此虔誠地孤對一片泓碧寒星遠市，才能把心裡情緒抓緊了，放在最可靠最純淨的一撮思想裡，始不至褻瀆[9]了或是驚著那「寤寐思服[10]」的人兒。那是

---

6 傲骨：高傲不屈的氣骨。借指梅花。

7 索性：乾脆、直截了當。

8 溫存：溫柔。

9 褻瀆：音ㄒㄧㄝˋ ㄉㄨˊ，輕視怠慢。

10 寤寐思服：無時無刻都在想念。出自《詩經．周南．關雎》：窈窕淑女，寤寐求之。求之不得，寤寐思服。

極年輕的男子初戀的情景——對象渺茫高遠，反而近求「自我的」鬱結深淺——他問起少女的情緒。

就在這裡，忽記起梅花。一枝兩枝，老枝細枝，橫著，虯[11]著，描著影子，噴著細香；太陽淡淡金色地鋪在地板上；四壁琳瑯[12]，書架上的書和書籤都像在發出言語；牆上小對聯記不得是誰的集句；中條是東坡[13]的詩。你斂[14]住氣，簡直不敢喘息，踮起腳，細小的身形嵌在書房中間，看殘照當窗，花影搖曳，你像失落了什麼，有點迷惘。又像「怪東風著意相尋」，有點兒沒主意！浪漫，極端的浪漫。「飛花滿地誰爲掃[15]？」你問，情緒風似的吹動，卷過，停留在惜花上面。再回頭看看，花依舊嫣然[16]不語。「如此娉婷[17]，誰人解看花意」，你更沉默，幾乎熱情地感到花的寂寞，開始憐花，把同情統統詩意地交給了花心！

這不是初戀，是未戀，正自覺「解看花意」的時代。情緒的不同，不止是男子和女子有分別，東方和西方也甚有差異。情緒即使根本相同，情緒的象徵，情

11 虯：音ㄑㄧㄡˊ，蜷曲。

12 琳琅：琳瑯，美玉。四壁琳琅形容所見都是珍美的東西。

13 東坡：人名，宋代文學家蘇軾的自號。

14 斂：音ㄌㄧㄢˋ，約束、節制。

15 飛花滿地為誰掃：出自宋代陳允平〈垂楊〉詞：「飛花滿地誰為掃，甚薄倖，隨波縹緲。」

16 嫣然：嫵媚美好的樣子。多用以形容笑容。

17 娉婷：輕巧美好。娉，音ㄆㄧㄥ。

緒所寄託，所棲止[18]的事物卻常常不同。水和星子同西方情緒的聯繫，早就成了習慣。一顆星子在藍天裡閃，一流冷澗[19]傾瀉一片幽愁的平靜，便激起他們詩情的波湧，心裡甜蜜地，熱情地便唱著由那些鵝羽的筆鋒散下來的「她的眼如同星子在暮天裡閃」，或是「明麗如同單獨的那顆星，照著晚來的天」，或「多少次了，在一流碧水旁邊，憂愁倚下她低垂的臉」。惜花，解花太東方，親暱自然，含著人性的細緻是東方傳統的情緒。

此外年齡還有尺寸，一樣是愁，卻躍躍似喜，十六歲時的，微風零亂，不頹廢，不空虛，巔著理想的腳充滿希望，東方和西方卻一樣。人老了脈脈[20]煙雨，愁吟或牢騷多折損詩的活潑。大家如香山[21]，稼軒[22]，東坡，放翁[23]的白髮華髮[24]，很少不梗[25]在詩裡，至少是令人不快。話說遠了，剛說是惜花，東方老少都免不了這嗜好，這倒不論老的雪鬢曳杖，深閨裡也就攢眉[26]千度。

最叫人惜的花是海棠一類的「春紅」，那樣嬌嫩明

18 棲止：停留、居住。
19 澗：音ㄐㄧㄢˋ，山中的流水。
20 脈脈：音ㄇㄛˋㄇㄛˋ，眼神含情，相視不語的樣子。
21 香山：唐代詩人白居易的別號。因曾構石樓於香山，故稱為「香山居士」。
22 稼軒：宋代詞人辛棄疾的號。
23 放翁：宋代著名詩人陸游的號。
24 華髮：花白的頭髮。
25 梗：音ㄍㄥˇ，阻塞。
26 攢眉：皺緊眉頭。形容憂慮不快的神態。攢，音ㄘㄨㄢˊ。

豔，開過了殘紅滿地，太招惹同情和傷感。但在西方即使也有我們同樣的花，也還缺乏我們的廊廡[27]庭院。有了「庭院深深深幾許[28]」才有一種庭院裡特有的情緒。如果李易安[29]的「斜風細雨[30]」底下不是「重門須閉」也就不「蕭條」得那樣深沉可愛；李後主[31]的「終日誰來[32]」也一樣的別有寂寞滋味。看花更須庭院，深深鎖在裡面認識，不時還得有軒窗欄杆，給你一點憑藉，雖然也用不著十二欄杆倚遍，那麼慵弱無聊。

當然舊詩裡傷愁太多；一首詩竟像一張美的證券，可以照著市價去兌現！所以庭花，亂紅，黃昏，寂寞太濫，詩常失卻誠實。西洋詩，按現行用法改之，文中多處同。戀愛總站在前頭，或是「忘掉」，或是「記起」，月是爲愛，花也是爲愛，只是全是眞情，也未嘗不太膩味。就以兩邊好的來講。拿他們的月光同我們的

---

27 廊廡：堂前東西兩側的廂房。廡，音ㄨˇ。

28 庭院深深深幾許：幽深的庭院不知有多深。出自於宋朝歐陽修〈蝶戀花〉：「庭院深深深幾許，楊柳堆煙，簾幕無重數。玉勒雕鞍遊冶處，樓高不見章台路。雨橫風狂三月暮，門掩黃昏，無計留春住。淚眼問花花不語，亂紅飛過鞦韆去。」

29 李易安：宋代詞人李清照。

30 斜風細雨：此句及以下引文，出自李清照〈念奴嬌•春情〉：「蕭條庭院，又斜風細雨，重門須閉。寵柳嬌花寒食近，種種惱人天氣。險韻詩成，扶頭酒醒，別是閒滋味。征鴻過盡，萬千心事難寄。樓上幾日春寒，簾垂四面，玉闌干慵倚。被冷香消新夢覺，不許愁人不起。清露晨流，新桐初引，多少遊春意。日高煙斂，更看今日晴未。」

31 李後主：南唐後主李煜，世稱為「李後主」。

32 終日誰來：出自李後主〈浪淘沙〉：「往事只堪哀，對景難排。秋風庭院蘚侵階。一任珠簾閒不捲，終日誰來。金鎖已沉埋，壯氣蒿萊。晚涼天淨月華開。想得玉樓瑤殿影，空照秦淮。」

月色比，似乎是月色滋味深長得多。花更不用說了，我們的花「不是預備採下綴成花球，或花冠獻給戀人的」，卻是一樹一樹綽約[33]的，個性的，自己立在情人的地位上接受戀歌的。

所以未戀時的對象最自然的是花，不是因爲花而起的感慨——十六歲時無所謂感慨——僅是剛說過的自覺解花的情緒，寄託在那清麗無語的上邊，你心折它絕韻孤高，你爲花動了感情，實說你同花戀愛，也未嘗不可——那驚訝狂喜也不減於初戀。還有那凝望，那沉思……

一根蛛絲！記憶也同一根蛛絲，搭在梅花上就由梅花枝上牽引出去，雖未織成密網，這詩意的前後，也就是相隔十幾年的情緒的聯絡。

午後的陽光仍然斜照，庭院闃然[34]，離離疏影[35]，房裡窗櫺[36]和梅花依然伴和成爲圖案，兩根蛛絲在冬天還可以算爲奇蹟，你望著它看，眞有點像銀，也有點像玻璃，偏偏那麼斜掛在梅花的枝梢上。

33 綽約：柔媚婉約。綽，音ㄔㄨㄛˋ。
34 闃然：靜無人聲。闃，音ㄑㄩˋ。
35 離離：分披繁盛的樣子。疏影：物影稀疏。
36 窗櫺：窗上以木條交錯製成的格子。櫺，音ㄌㄧㄥˊ。

▶認識名家

林徽因（1904～1955年），原名林徽音，福建福州閩縣人，中國著名的建築師、詩人，是人民英雄紀念碑和中華人民共和國國徽深化方案的設計者。她是建築師梁思成的第一任妻子，1928年與梁思成結婚，夫婦一起考察多處古代建築，與詩人徐志摩、作家沈從文、學者金岳霖等，有很好的往來與情誼。創作多樣，有詩歌、小說、散文、話劇劇本等多篇，時人稱爲「才女」。

林徽因的散文風格獨特，份量雖不多，但行文簡潔，文字活潑，想像力奇特，她將建築師的科學精神和本身的文學氣質糅合，灌注於文中，一些精闢的見解頗具有借鑑價值。作品有《林徽因講建築》（南粵出版社、陝西師範大學出版社）。其子梁從誡爲她編選《林徽因文集》以及《林徽音建築文集》（臺北：藝術家出版社）。另有陳學勇所編的《林徽因文存（建築）》（四川文藝出版社）等。

▶題解

〈蛛絲與梅花〉出自《林徽因文集》。本文借物起興，描寫了兩根蛛絲經過門框牽到一枝梅花上的小景致，引發了作者的種種聯想。在作者的筆下，由蛛絲和梅花構成的「蛛絲梅花圖」，不但美麗，而且玄妙、細緻，令人聯想到自然造物的神工和不可思議處。文字如詩一般清麗婉轉，表現出詩意的美。

▶心智圖

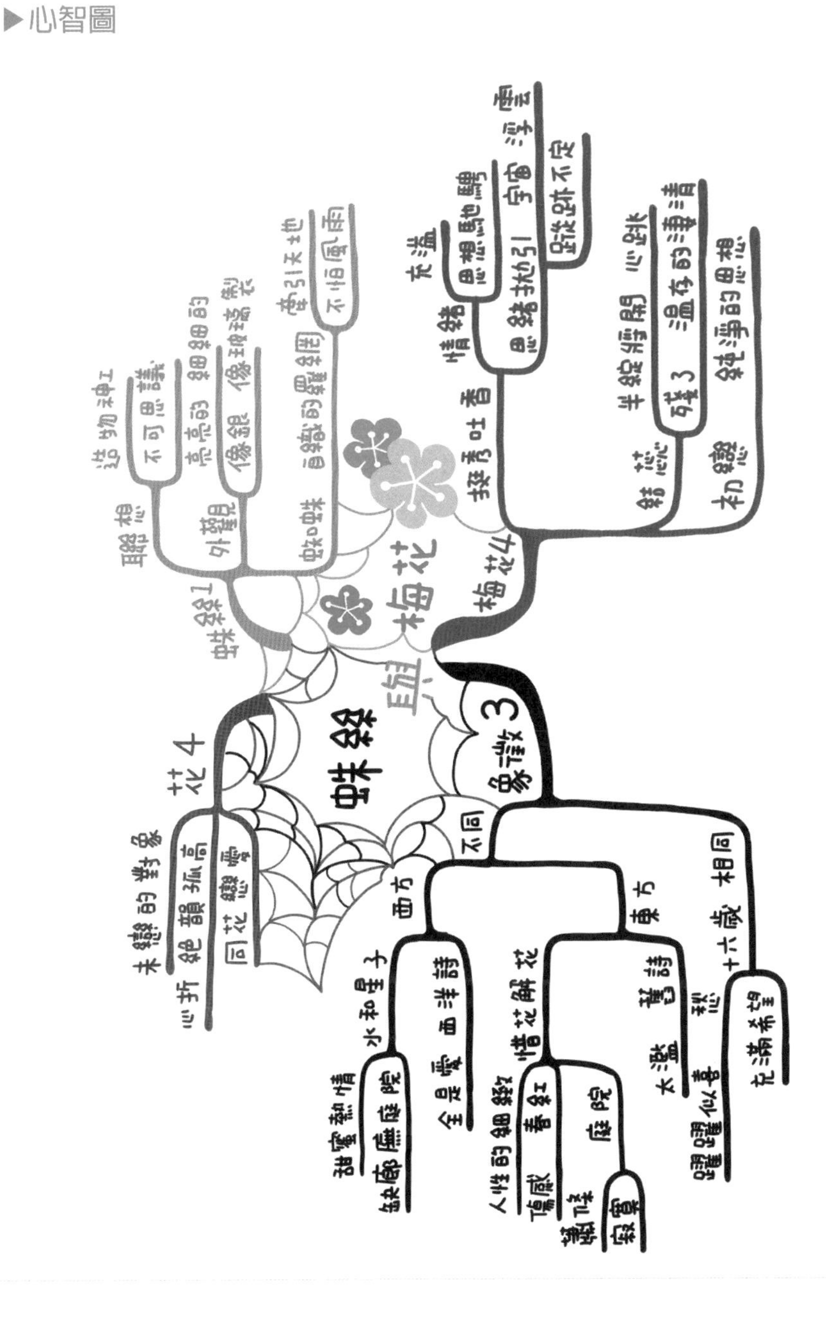
蛛絲與梅花
花4
未戀的對象
心折 絕韻孤高
同花戀愛
蛛絲1
聯想
造物神工
不可思議
外觀
亮亮的 細細的
像銀 像玻璃製
蜘蛛
自織的羅網
牽引天地
不怕風雨
梅花4
挺秀吐香
情緒
充溢
思想馳騁
思緒拋引 宇宙 浮雲
蹤跡不定
結蕊
半綻將開 心跳
殘了 溫存的淒清
初戀 純淨的思想
象徵3
不同
西方
水和星子
甜蜜熱情
缺廊廡庭院
全是愛 西洋詩
東方
惜花解花
人性的細緻
傷感 春紅
蕭條 庭院
寂寞
太濫 舊詩
十六歲 相同
躍躍似喜 愁
充滿希望

▶心智圖解讀：蛛絲與梅花

林徽因的這篇散文，是典型的「小題大做」，內容以極微小、乍看毫不起眼的「蛛絲」爲起點，連結到門框上的一枝梅花，接著將思緒往外擴張聯想、思考，想到了宇宙、一些古往今來的浪漫詩歌、典故，從而引發對東、西方文化的比較，最後再談到花與戀愛。我們可以說，林徽因在這篇文章中，將她的想像力和聯想力發揮得淋漓盡致。

文章是從冬日的午後開始的，作者在房中窺探到兩根蛛絲，透過門框聯繫著窗外的梅花。這原本是再普通不過的景象，但是透過她獨特的視角來看，細微的蛛絲卻銀閃閃地牽引著內心的想像。她想，人倘若像是蜘蛛，也總是織著自己生命的羅網，這羅網不僅牽連起天地，也勾連著無數的情感與回憶；而這些情感與回憶在文章裡頭，也都與「花」脫不了關係。

梅花綻放時最是可愛、可賞，但是一旦開了便逐漸走向凋殘，就像是人生，從出生開始便走向死亡。反倒是梅花半綻時刻的錯落，含苞卻讓人心跳。這裡寫的不僅是花，當然也是愛情。作者講起一個朋友的初戀，當時玉蘭花剛開完，暖天裡這個心情鬱結的男子，只有在幽靜的石上觀看隔岸的燈火，才能讓自己的心緒不再飄搖。這樣的心緒蕩漾、渺茫高遠，就好像是冬日午後在書房中觀看著窗外的梅花，情緒風似地吹動，但是花始終嫣然不語。

作者不禁想到古人的詩句中，關於「憐花」的部分，不論是東坡的詩，還是諸如「怪東風著意相尋」、「飛花滿地爲誰掃」、「如此娉婷，誰人解看花意」等等，這些極度浪漫的詩句，都牽動著人的情感，比如失落、沒主意、沉默、熱情、寂寞、同情……，這些形容花的詩句，其實也是在表達人的種種情感，詩心等同於花心。

「這不是初戀，是未戀，正自覺『解看花意』的時代。」作者認爲，對情感一知半解的少男少女，還不認識愛情爲何物，卻開始懂得從花意去表露自我的情感，這種情緒的抒發不僅男女有別，東、西方也不一樣。東方人傳統上習慣含蓄的表達，詩意之中不免委婉保留，不會大剌剌的寫著：「她的眼如同星子在暮天裡閃。」如果說，「水和星子」是西方人情感容易投射之物，那麼東方人的惜花、解花，自然更包含了人性的細緻與傳統。

文章接著談到了「惜花」。作者以爲最該關注的是海棠一類的「春紅」，因爲在中國的傳統詩詞裡，像李清照、李後主，都用這類花來深刻表露他們的思念與亡國之痛。這些作品的傷愁太多，某種程度上，也有不少「爲賦新詞強說愁」者，把花給寫濫、寫俗了。對作者而言，最值得珍惜的，其實是爲花的孤韻高絕所感動那初發的情感，也就是「未戀」時期，那時只知道愛花，情感更爲純粹，「那驚訝狂喜也不減於初戀」，這樣的美，更爲作者所讚頌。

到了文章的末尾，作者跳離了內心的聯想，將場景拉回現實的書房。前述的種種或許不過是片刻思緒的遊走，卻由細小的蛛絲寫起了花，由花寫起古人寄寓花語的傳統，再由這樣的傳統聯繫起文學作品中所表露花與生命、家國的連結。可以說，在這樣的一篇短文中，林徽因以其獨特的詩化的語言，爲我們示範了「一沙一世界」、「萬物靜觀皆自得」的寫作奧義。

▶**修辭散步**

1. 設問：如：「再多了，那還像樣麼？」（提問）
2. 排比：如：「一枝兩枝，老枝細枝，橫著，虯著，描著影子，噴著細香。」

3. 反覆：在文章中，為了強調某種意思、突出情感，特意重複使用某些詞語、句子或段落等。如：「可是亮亮的，細細的，倒有點像銀，也有點像玻璃製的細絲」與「你望著它看，真有點像銀，也有點像玻璃」（首尾呼應）。

4. 擬人：如：「尤其是它們那麼灑脫風雅，偏偏那樣有意無意地斜著搭在梅花的枝梢上」、「四壁琳瑯，書架上的書和書籤都像在發出言語」等。

5. 聯想：如：「同蛛絲一樣的細弱，和不必需，思想開始拋引出去：由過去牽到將來，意識的，非意識的，由門框梅花牽出宇宙，浮雲滄波蹤跡不定。」（由蛛絲聯想到宇宙）

6. 譬喻：如：「好比你是蜘蛛，你的周圍也有你自織的蛛網」、「一首詩竟像一張美的證券，可以照著市價去兌現」等。

7. 轉化：如：「才能把心裡情緒抓緊了，放在最可靠最純淨的一撮思想裡」（用人擬人）。

8. 引用：如：「寤寐思服」、「怪東風著意相尋」、「飛花滿地誰為掃」、「如此娉婷，誰人解看花意」、「庭院深深深幾許」等。

9. 對比：如：「水和星子同西方情緒的聯繫，早就成了習慣……惜花，解花太東方，親暱自然，含著人性的細緻是東方傳統的情緒」、「當然舊詩裡傷愁太多……西洋詩，按現行用法改之，文中多處同」（東西方文化、詩歌風格對比）。

▶漫畫經典

兩根蛛絲，由門框邊輕輕地牽到一枝梅花上，聯想到一切自然。

有個朋友說起初戀時玉蘭花剛開完，對象渺茫高遠，令人寤寐思服。

十六歲時，踮著理想的腳充滿希望，一樣是愁，卻躍躍似喜。

未戀時的對象最自然的是花，你為花動了感情，說出你和花在戀愛。

▶文學遊戲場

一、閱讀素養

（　）1. 文中說梅花「等半綻將開地錯落在老枝上時，你便會心跳」的意思是？
(A) 把同情統統詩意地交給了花心。
(B) 惋惜梅花即將凋謝了。
(C) 作者獨獨鍾愛含苞待放時的梅花。
(D) 影射戀愛，在戀情尚未明朗時最吸引人。

（　）2. 作者對愛情的看法，以下何者不正確？
(A)「未戀」時期的情感更爲純粹。
(B) 對愛情一知半解的少男少女，已經懂得從花意表露情感。
(C) 同花戀愛的感覺更勝過與人戀愛。
(D) 東方人的傳統是習慣含蓄的表達愛情。

二、向大師學寫作

作文題目：

在我們身處的環境裡，有許多新奇美好的事物，等著我們去挖掘。不管是建築特色、歷史文化，還是自然生態，生活的樂趣俯拾皆是。對於你生活的地方，你是否探訪過每個角落？請以「最美的角落」爲題，選擇你認爲最美的角落，寫一篇記敘、抒情兼具的文章。

作文提示：

審題：美，除了外表的美，也有內在的美，但是內在不像外在那麼容易辨認，所以撰寫文章必須搭配特殊的事件、感受，才能突顯「美」的價值。開頭：可用反起法，從主題的反面開始寫起，例如先說大範圍的部分，描述自己的學校老舊，似乎毫無美感，然後縮小範圍，點出學校的某個角落使校園美麗起來。經過：用列舉法，描繪幾樣和角落有關的事物，從事物的顏色、材質、觸感等寫起，並描述自己待在角落時進行的活動。結尾：運用懷念法，藉著對人、事、景、物的回憶，抒發想念的心情，能使結尾有餘韻不絕的效果。

三、心智圖練習

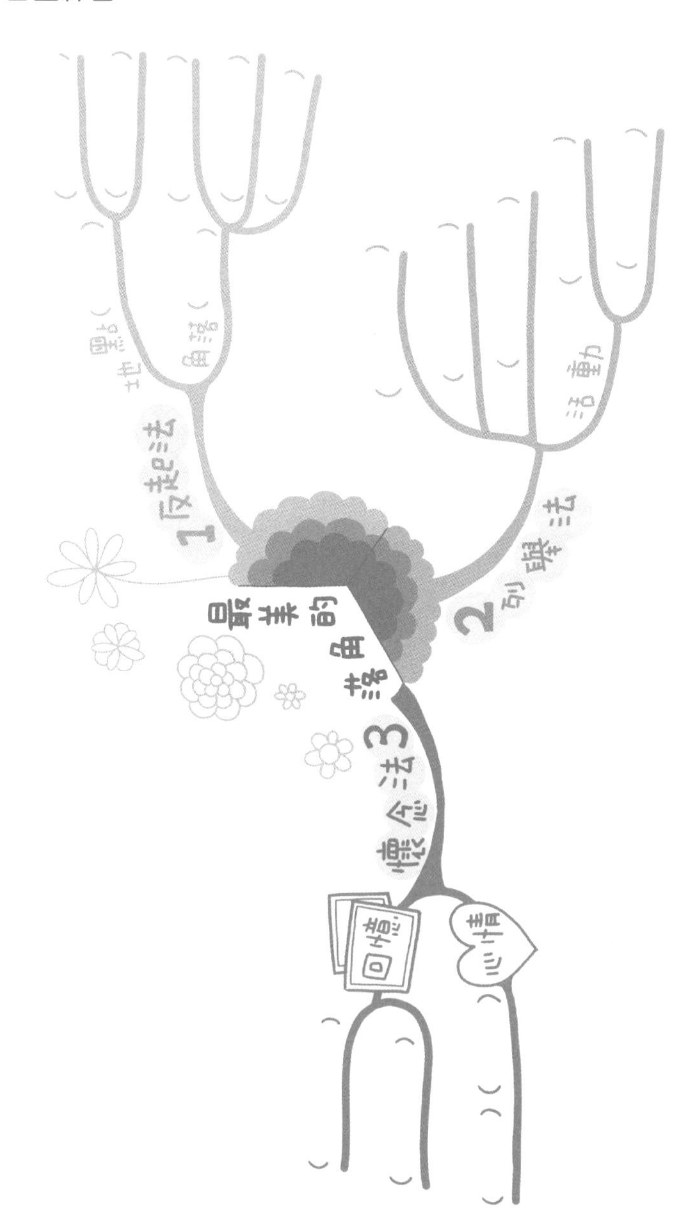

提示：由大範圍的「地點」，描寫到小範圍的「角落」，是縮小的寫法。

名篇選讀

3.苦笑／王尚義

▶經典原文

晌午[1]，我從一個淡漠[2]的夢中醒來。夢——像我生命所做過許多同樣淡漠的夢中的一個。但是因爲這是晌午，而且很靜，我醒來，好像身上還疏落的牽累著幾根夢的輕絲。我懶懶地坐下，吮[3]一口茶，茶是未喝完的半杯，濃而且苦，燃起一支煙，藍色的憂鬱立刻從指尖飄起了……。

我夢見了什麼人呢？好像是一個人，一個擾人的影子，好像是有花，有希望，有春天，然而都是過去了的。平時我總未想像過這樣的事，既然是過去了的，嚴格的説來，應該什麼也沒有，可是分明是夢，分明有個思想的幻影，分明還有些甜美的品味，爲什麼呢？難道人生就是這些捉摸不定的東西？難道像是有的，畢竟是沒有的，難道空就是美，美就是空嗎？想到這裡，我漸漸悟了，我狠狠地唾棄[4]了那個夢的幻覺！

1 晌午：音ㄕㄤˇ ˙ㄏㄨㄛ，中午。

2 淡漠：淡泊恬靜。

3 吮：音ㄕㄨㄣˇ，用口吸取。

4 唾棄：輕視鄙棄。

可是，這是晌午，而且很靜，坐著也像是幻覺，透明的紗窗結掛著蛛網，藍天在方形的格子裡張弛[5]著，有幾朵碎絮般的雲片不定的悠遊，時聚時散，時近時遠，在窗格子上打著弧形的迴旋[6]。我眞不瞭解，雲何以如此輕盈浪漫？也許天是高的、大的，沒有阻攔，也許雲沒有掙扎，沒有期待，沒有殘破的意想，唉！我終於不是雲呵！我坐在地上有形的竹椅裡，伴著有形的自我，說不定這就是一切的根源。

樹梢，帶點淡黃色油嫩的樹梢，漸漸地放出它的幻彩，輝映著灰色屋頂閃爍的陽光，像是漠影，有無限的情趣。風撩過的時候，幾片伸展的葉子，揚起又回落，眞夠灑脫，風不息的來，不息的去，樹梢從未得到過什麼，難怪它不失望、不悵惘[7]；不似憂戚[8]的我，甚至相信一個夢，甚至老打不斷那個剛從夢中醒來的感覺。

這是晌午，而且很靜，如果說有誰伴著我，怕是這個茶几上落滿了灰塵的花瓶。還有幾朵黯淡的殘花，花瓶本來是種沉鬱的灰色，這灰色如今被殘花點綴得更沉鬱了，最惹人憐惜的是落下的花片，花片以平靜的安祥對我……

---

5 張弛：本指拉緊與放鬆弓弦，後比喻事物的急緩、進退、起落等。弛，音ㄕˇ。

6 迴旋：旋轉、盤旋。

7 悵惘：音ㄔㄤˋ ㄨㄤˇ，惆悵失意。

8 憂戚：憂愁哀傷。

「這不是很可笑嗎？不是很可笑嗎？」花說：「你看，我生在春天，我怒放，我嬌豔，我惹人愛羨；過了幾天，我衰敗，我凋落，我靜默，我安然，我回到原來的地方，一切都過去了，可是畢竟沒有一切呵！不是很可笑嗎？你坐在這裡，以爲自己有個靜靜的時間，你思想，你作夢，你醒來，你做了些什麼呢？以爲得到些什麼呢？雖然沒有追求、等待，你信仰，你奉獻，可是你也不過是幾天，短短地時間，短短地。雖然是晌午，雖然很靜，雖然你有些詩意，雖然是悟了生命的奧祕，蠢呵……」

這眞是可笑，我微微的搖頭，我的嘴角拉開了，我對著自己笑，對著有形的一切笑——我對著瓶裡的花笑，花落盡了，我對著手上的煙笑，煙燃完了，我對著杯裡的茶笑，茶還有一口，我決然[9]地端起，剎那間，我的笑容融化在那僅剩的一口濃液裡，深深地有些苦味，剎那間，我吞滅了……

這是晌午，而且很靜……。

▶認識名家

王尚義。參見p.19。

9 決然：果斷堅決的樣子。

▶題解

〈苦笑〉出自《深谷足音》。作者描述自己做了一個夢，從夢境觸發，用聯想的方式，由外物開始觀察：看藍天、白雲，看樹梢、花朵等等，逐步地向內在探索對人生、對生命的種種想法。在思想上，表現出對「自然」、「無常」的體悟，頗貼近道家的哲學思想。在技巧上，藉著點燃的菸飄散出來的輕煙，營造了虛無飄渺的氛圍，使讀者跟著煙、跟著作者的思維，進行一場心靈之旅。

▶心智圖解讀：苦笑

文章從中午做了一個「夢」開始寫起。作者的夢，只不過是日常之間很平常的夢，但因爲是在沉靜無比的中午，於是，醒來好像還有著夢的餘韻存在，作者將之比喻爲「輕絲」。這個「我」，喝了一口之前未喝完的濃茶，點起了菸，在虛無飄渺的煙霧中，也陷入了憂鬱的思索。「藍色」、「濃而且苦」的茶，象徵了作者此時此刻的心境，不論是輕絲還是煙，都具體地呈現了夢的虛幻。

第二段，作者開始思索著，夢裡頭所夢見的到底是什麼？開頭的一句提問：「我夢見了什麼人呢？」引起讀者無數的想像。他認爲夢好像「有花」、「有希望」、「有春天」，所代表的都是美好、光明的事物，但是這些「都是過去了的」，只在夢裡曇花一現。於是，他思索夢的不確定性，以及人生的不確定性，他質疑這些美好的事物，難道終究都是一場「空」？於是他說，想要「唾棄」剛剛做過的夢。作者的思緒，隨著抽象的描述，一正、一反地逐步呈現對於人生、美和無常的辯證。

然而，恬靜的晌午，一切是那樣的美好。從第三段開始，作者便從對外物的觀察轉而探尋生命的奧祕。他先看到藍天裡有雲片飄忽

▶心智圖

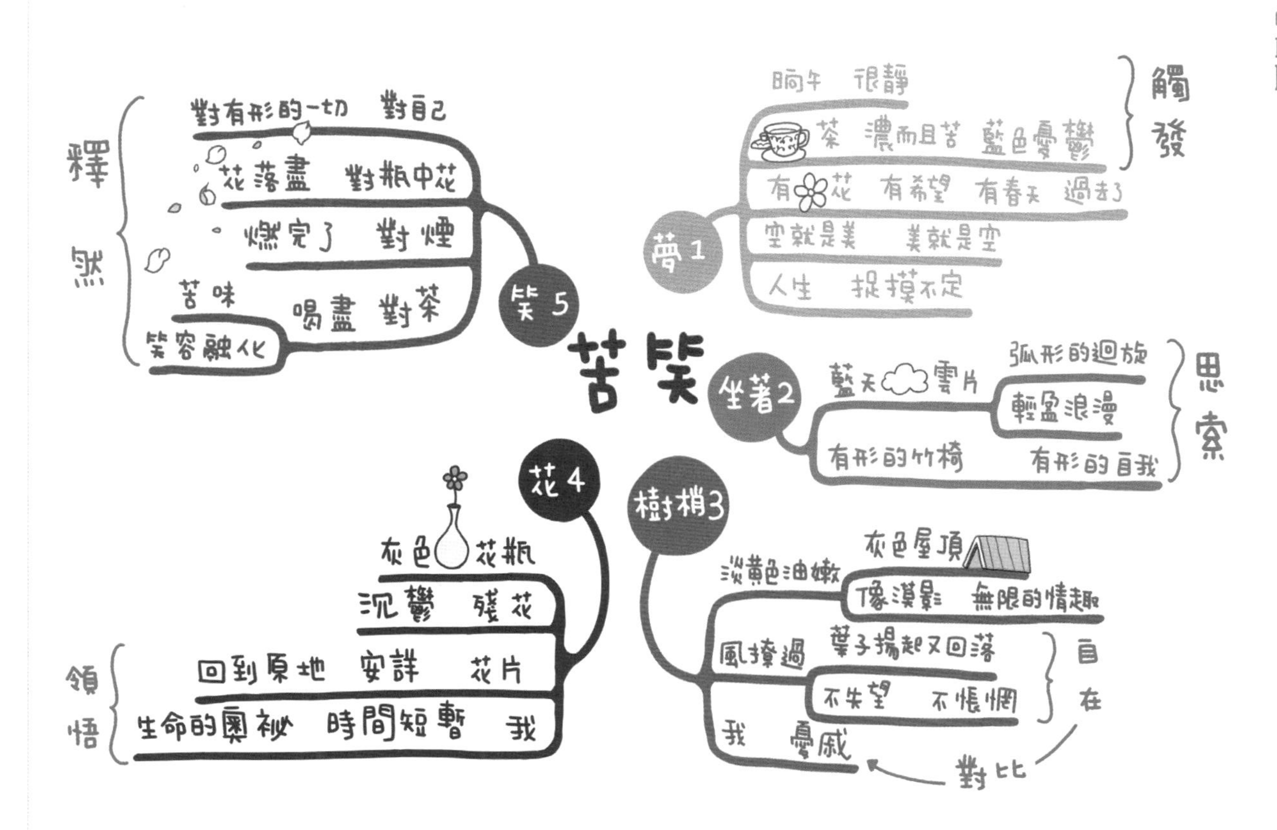
苦笑
夢1
晌午　很靜
茶　濃而且苦　藍色憂鬱
有花　有希望　有春天　過去了
空就是美　美就是空
人生　捉摸不定
觸發
坐著2
藍天　雲片
弧形的迴旋
輕盈浪漫
有形的竹椅　有形的自我
思索
樹梢3
淡黃色油嫩
灰色屋頂
像漢影　無限的情趣
風撩過
葉子揚起又回落
不失望　不惆悵
自在
我　憂戚
對比
花4
灰色花瓶
沉鬱　殘花
回到原地　安詳　花片
生命的奧祕　時間短暫　我
領悟
笑5
對有形的一切　對自己
花落盡　對瓶中花
燃完了　對煙
苦味
喝盡　對茶
笑容融化
釋然

著，希望自己就像那片雲，能自由自在、不限形體拘束，在高大而沒有阻攔的天空中遨翔；然而「我」之爲「我」，卻是必須受限在形體中，又使他感到悵惘。

接著，作者將視野移到了「淡黃色油嫩的樹梢」，運用視覺摹寫描述風吹過之際，葉子「揚起又回落」的瀟灑姿態。他想，「樹梢」從未得過什麼，卻也不憂愁什麼，樹的自由與「我」對照起來，我的憂愁便顯得無足輕重了。他又將視野移到了花瓶裡的「殘花」，「花」原本是順著四季生長，現在在花瓶裡養了幾天後就凋謝了，而後又回到大自然，「回到原來的地方」，這就是生命的奧祕。想到這裡，作者似乎覺得該讓人生順其自然些才是。

文章最後，「我」以輕微地搖搖頭，對著自己笑、對著有形的一切笑，也對著花笑等等，來表達對憂愁的接受與釋然態度。

花原本生存在大自然中，能夠美麗、優雅地綻放，可是人們硬是將花朵供養在花瓶中，只剩下短暫的生命，不正如人們總是刻意地想用人爲的力量改變一切？到頭來，爲自己帶來無數的煩惱，與驀然回首的虛空。我們從作者對一場夢的觸發，跟隨他思索人生的捉摸不定、對外物的觀察、對內在的省思，看見作者體悟到生命的奧祕，與老莊道家「自然」、「無爲」的思想不謀而合，同時帶給我們許多啓迪。

本文題爲「苦笑」，當作者的笑容，在最後被融化於一口苦茶之中，我們才瞭解，苦與笑其實都是「人生」的必然，唯有靜觀皆自得的看待生命與周遭的一切，才會眞正感受到生命的奧妙與值得醒悟之處。文中出現四次的「這是晌午，很靜」，就是在告訴我們，要珍惜生命中單純的美好，只有當內心眞正平靜，與自己對話，方能瞭解生命與存在的本質。

▶修辭散步

1. 譬喻：如：「夢——像我生命所做過許多同樣淡漠的夢中的一個」等。
2. 反覆：如：「這是晌午，而且很靜」（全文重複四次）。
3. 轉化：如：「燃起一支煙，藍色的憂鬱立刻從指尖飄起了」（化虛為實）。
4. 設問：如：「我夢見了什麼人呢？好像是一個人，一個惱人的影子」（提問）、「為什麼呢？難道人生就是這些捉摸不定的東西？」（疑問）、「我真不瞭解，雲何以如此輕盈浪漫？」（提問）
5. 排比：如：「可是分明是夢，分明有個思想的幻影，分明還有些甜美的品味」、「我怒放，我嬌豔，我惹人愛羨」、「我衰敗，我凋落，我靜默，我安然」、「你思想，你作夢，你醒來……你信仰，你奉獻」等。
6. 頂真：如：「難道空就是美，美就是空嗎？」（頂真＋設問）
7. 感嘆：如：「唉！我終於不是雲呵！」
8. 視覺：如：「樹梢，帶點淡黃色油嫩的樹梢，漸漸地放出它的幻彩，輝映著灰色屋頂閃爍的陽光」、「花瓶本來是種沉鬱的灰色，這灰色如今被殘花點綴得更沉鬱了」等。
9. 擬人：如：「樹梢從未得到過什麼，難怪它不失望、不悵惘」、「花片以平靜的安詳對我……花說……」
10. 類疊：如：「短短地時間，短短地」（疊字）。

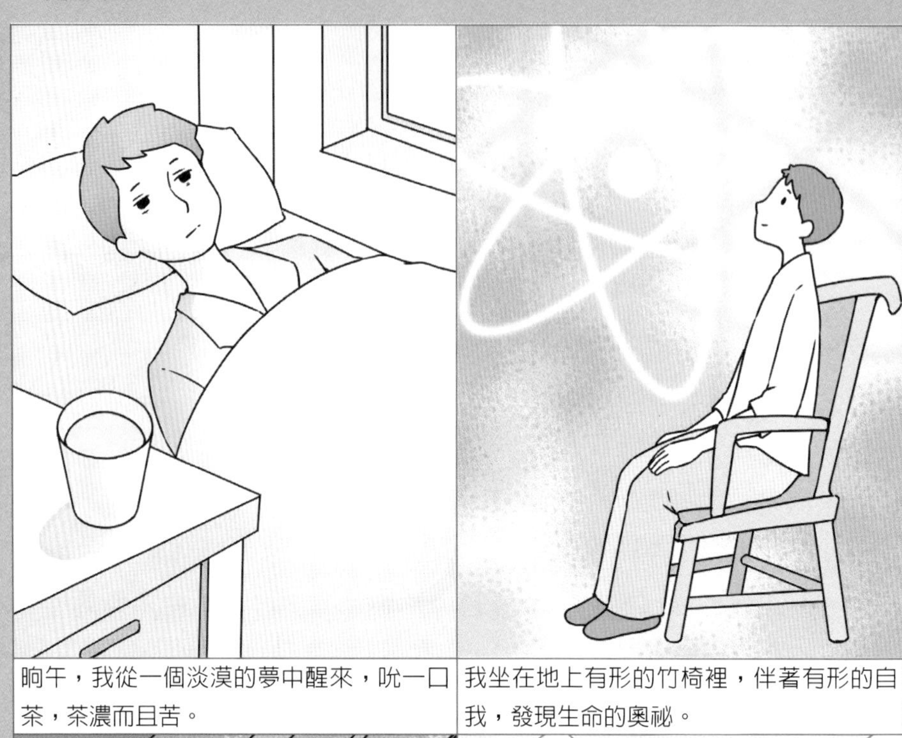

晌午，我從一個淡漠的夢中醒來，吮一口茶，茶濃而且苦。

我坐在地上有形的竹椅裡，伴著有形的自我，發現生命的奧祕。

帶點淡黃色油嫩的樹梢，從未得到過什麼，難怪它不悵惘。

我的笑容融化在那僅剩的一口濃液裡，深深地有些苦味。

▶文學遊戲場

一、閱讀素養

(　　) 1. 作者從夢、雲朵、樹梢、花等，主要領悟了什麼道理？

(A)「憂鬱」是詩人的本質。

(B) 自然和無常的「生命的奧祕」。

(C)「幻想」對創作的重要性。

(D) 被自己「有形身體」限制的無奈。

(　　) 2. 作者的「夢境」：「好像是有花，有希望，有春天」，說的是什麼？

(A) 指作者是個愛作夢的詩人。

(B) 好夢往往揭示人內心的不安。

(C) 預示未來的人生充滿了希望。

(D) 感嘆美好的事物像夢一樣短暫而虛幻。

二、向大師學寫作

作文題目：

窗户，可開可關，但是窗户存在的目的是什麼？是爲了敞開心靈？還是爲了封閉思想？人們在心裡關上了窗，往往就過於戒備、提防，容易拒絕他人。你願意打開心窗，邀請別人進入你的內心世界嗎？請以「打開心靈的窗」爲題，寫出自己的想法。

作文提示：

審題：題意較為抽象，首先應了解人的心靈容易受傷，因此容易與人隔絕，為了自我保護而封閉，所以要描述關閉心靈時的負面狀態，與打開心靈的正面價值及產生的改變。開頭：使用解題法，巧用比喻，形容心靈也需要耕耘，細心呵護，如同一棵平凡的種子長成稻穗，最後是豐收的喜悅。經過：運用列舉法，分為三段，分別說明打開心靈的窗可以帶來朋友、快樂和愛，並且將使人成為真誠和善於分享的人，帶來人生的光明面。結尾：用勸勉法，有勸說與鼓舞、激勵人心的作用，鼓勵讀者打開心靈的窗，就能讓生命有新的改變。

三、心智圖練習

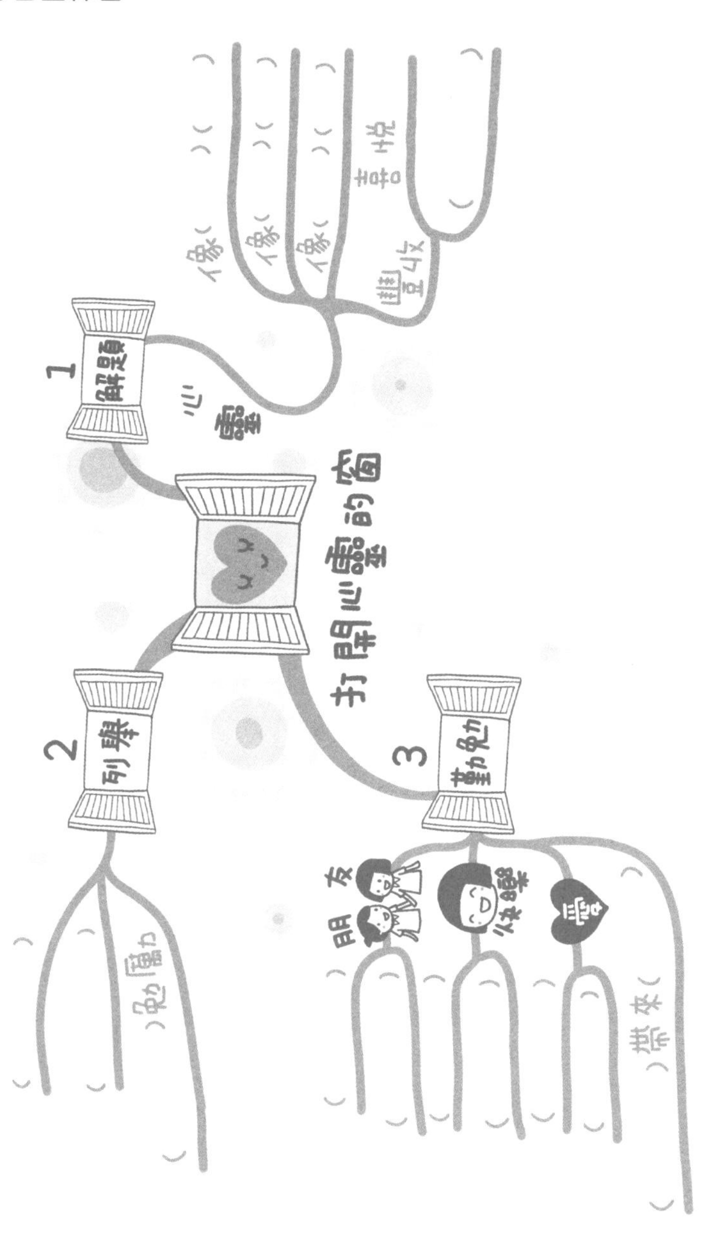

提示：「心靈」是內容的核心，每一個關鍵字、詞都要緊扣著它。

「文學閱讀素養」參考答案

1-1：1. A　2. D

1-2：1. B、C　2. C

1-3：1. C　2. B

2-1：1. B、C　2. D

2-2：1. B、D　2. A、C

2-3：1. D　2. B

3-1：1. B　2. C

3-2：1. C、D　2. A

3-3：1. C　2. B

4-1：1. D　2. A

4-2：1. B、C　2. D

4-3：1. C　2. B

5-1：1. B　2. A

5-2：1. D　2. C

5-3：1. B　2. D

Note

Note

Note

國家圖書館出版品預行編目資料

向大師學習寫作—圖解：我的第一本心智圖（Mind Map）作文書／高詩佳著. -- 初版. -- 臺北市：五南圖書出版股份有限公司, 2015.07
面： 公分.
ISBN 978-957-11-8096-0（平裝）

1.漢語 2.作文 3.寫作法

802.7 104005897

1X5V 悅讀中文69

向大師學習寫作

圖解：我的第一本心智圖（Mind Map）作文書

作　　者— 高詩佳(193.2)
發 行 人— 楊榮川
總 經 理— 楊士清
總 編 輯— 楊秀麗
副總編輯— 黃惠娟
責任編輯— 范郡庭
封面設計— 黃聖文
出 版 者— 五南圖書出版股份有限公司
地　　址：106台北市大安區和平東路二段339號4樓
電　　話：(02)2705-5066　傳　　真：(02)2706-6100
網　　址：https://www.wunan.com.tw
電子郵件：wunan@wunan.com.tw
劃撥帳號：01068953
戶　　名：五南圖書出版股份有限公司

法律顧問　林勝安律師事務所　林勝安律師

出版日期　2015年 7 月初版一刷
　　　　　2021年 4 月初版四刷
定　　價　新臺幣300元

※版權所有・欲利用本書內容，必須徵求本公司同意※